L'importance de Mathilde Poisson

Catalogage avant publication de Bibliothèque et Archives nationales du Québec
et Bibliothèque et Archives Canada

Drouin, Véronique, 1974-

L'importance de Mathilde Poisson

(Crypto)
Pour les jeunes de 13 ans et plus.

ISBN 978-2-89770-037-9

I. Titre.

PS8607.R68I46 2017 jC843'.6 C2016-941917-7
PS9607.R68I46 2017

Dépôt légal – Bibliothèque et Archives nationales du Québec, 2017
Bibliothèque et Archives Canada, 2017

Direction éditoriale : Sylvie Roberge
Direction littéraire et artistique : Maxime P. Bélanger
Révision : Josée Latulippe
Illustration de la couverture : Réal Binette
Mise en pages : Mardigrafe

Financé par le gouvernement du Canada | Canada

Nous reconnaissons l'appui financier du gouvernement du Canada.

Conseil des Arts du Canada Canada Council for the Arts

Nous remercions le Conseil des arts du Canada de l'aide accordée
à notre programme de publication.

Cet ouvrage a été publié avec le soutien de la SODEC. Gouvernement du Québec –
Programme de crédit d'impôt pour l'édition de livres – Gestion SODEC.

Bayard Canada Livres
4475, rue Frontenac, Montréal (Québec) Canada H2H 2S2
edition@bayardcanada.com
bayardlivres.ca

Imprimé au Canada

Véronique Drouin

L'importance de Mathilde Poisson

Bayard
CANADA

Saut du lit du pied gauche
À un mot de la fin
Les miroirs sont rarement flatteurs
Sabordage parmi les sirènes
Les friandises engendrent la carie
Sur les planches du grand théâtre
La mélodie délie les maux
Dans une fosse, il y a de la vie
Vives funérailles
Comme la douleur mène au désespoir
Le club des laissés-pour-compte
Même les aquanautes sont vulnérables
Portraits hors cadre
Petite mort illustrée
L'importance de Mathilde Poisson

De retour au bord de la falaise
J'y jette toujours des objets
J'écoute le bruit qu'ils font
En tombant
Je les suis des yeux jusqu'à ce qu'ils s'écrasent
Imaginant le son que produirait mon corps
Se heurtant contre ces rochers

Au moment de toucher le sol
Mes yeux
Seraient-ils fermés ou grand ouverts ?

BJÖRK, *Hyper-ballad*

(traduction libre de l'auteure)

Saut du lit du pied gauche

« C'était le moment d'être fière d'elle-même,
puisque enfin elle avait eu le courage
de quitter cette vie. »

Paulo Coelho, *Veronika décide de mourir*

Il y avait des journées comme ça. Tout le monde avait des journées comme ça. Ce n'était rien d'exceptionnel. Elle s'était sans doute levée du mauvais pied. En fait, elle n'aurait pas dû sortir du lit. Pourtant, elle n'aurait pu y rester non plus.

Il y avait peut-être des journées comme ça, quoique ces temps-ci il y en avait trop. Mathilde s'encourageait, se sermonnait, se réprimandait, rien ne la motivait. Elle souhaitait disparaître de la surface de la planète, rejoindre les étoiles et se fondre dans l'immensité silencieuse de l'univers. Ça semblait si confortable. Ne plus penser, ne plus s'inquiéter, ne plus jamais angoisser.

Durant les deux dernières semaines, elle avait épuisé sa réserve de larmes. Même les catastrophes répétées de la matinée ne parvenaient pas à lui extraire une quelconque émotion. Désormais, elle se sentait vide. Éteinte. Un trou noir.

— Mademoiselle ?

Tôt le matin, Mathilde avait d'abord découvert sa mère affalée sur le carrelage de la salle de bain. Elle l'avait remise au lit avant de nettoyer les dégâts. La médication ne semblait plus produire d'effet sur elle. Mais à quoi bon réviser la dose ou modifier la prescription, pensait Mathilde, sa mère ne suivait pas les conseils du médecin ; elle préférait boire pour oublier et oublier pour boire.

— Mademoiselle, ces poires ne sont pas fraîches ! J'exige d'être remboursée !

Ce n'était qu'une phase, lui assurait sa conscience. Malheureusement, ces épisodes se rapprochaient et s'allongeaient de plus en plus. Et durant ces périodes, sa mère la traitait comme une incapable. Ou pire. Elle l'accusait de mentir et de voler, alors que Mathilde s'occupait de l'appartement et des finances depuis un moment déjà.

Mathilde comprenait parfois son père d'avoir fui. Malgré cela, elle le tenait responsable d'une partie de ses malheurs.

— Mademoiselle, vous m'avez facturé 15 cents de trop !

Elle continuait néanmoins de servir les clients sans rechigner. Cela devenait machinal. Elle obtempérait, telle une automate. Demandez et vous recevrez.

— Mathilde ?

Mathilde avait dû quitter le cégep et travaillait comme caissière à l'épicerie Beaumont depuis près de huit mois pour pourvoir aux besoins de la maisonnée, sa mère n'étant pas en état de conserver un emploi. La charge était devenue trop lourde pour ses maigres prêts étudiants.

En général, elle ne détestait pas son boulot. Ça lui permettait de s'éloigner de chez elle et de socialiser un peu.

— Mathilde ?

Jusqu'à ce que Xavier Beaumont se pointe dans le commerce. Le jeune homme de vingt-deux ans, fils du propriétaire et un des héritiers en lice, s'était taillé une place de superviseur dès le départ, sans avoir à gravir les échelons. La première fois que Mathilde l'avait rencontré, elle lui avait trouvé un certain charme avec son air sombre, ses lunettes et ses longs cheveux noués en queue de cheval. Elle avait rapidement déchanté puisqu'il se révélait rude, impoli et caustique la majorité du temps. Elle l'évitait comme elle le pouvait, hélas ses maladresses se multipliaient lorsqu'il était présent, ce qui lui valait des répliques cinglantes.

Puis, il y avait eu Bruno. Le beau Bruno. Depuis l'automne, ils frayaient un amour de carte postale. Ça aurait pu être un véritable baume sur le cœur de Mathilde de savoir qu'un garçon l'aimait, l'appuyait en dépit de tout. Toutefois, l'envers du décor se révélait bien différent.

— La Terre appelle Mathilde...

Leur histoire s'était échelonnée jusqu'à ce qu'il rompe quelques semaines auparavant et qu'elle le voie, ce matin même, passer devant la vitrine du magasin en compagnie de Julianne Legros. Elle n'avait pas pleuré, elle n'avait pas crié, mais elle s'était affaissée. Car le poids sur ses épaules venait d'augmenter de deux tonnes. Comme ces images de gens écrasés par des blocs de béton lors des tremblements de terre.

— Mathilde ! On n'a pas toute la vie ! Grouille-toi !

Et Julianne était une idiote. Une belle idiote souriante et frivole, dont la seule préoccupation dans la vie semblait d'assortir son vernis à ongles avec la couleur de ses escarpins.

Ah ! Et pourquoi Mathilde pensait-elle cela ? En la quittant, Bruno avait le droit de sortir avec qui il le désirait ! Ce n'était plus de ses affaires ! Il fallait, au contraire, prendre cette fille en pitié...

Mais Julianne paraissait heureuse et insouciante. Mathilde, elle, était maussade et austère.

Elle en ressentait tant de honte. D'humiliation.

— Mathilde Poisson ! Es-tu sourde ou quoi ?

La jeune fille sursauta et revint brusquement à la réalité.

— Les clients n'ont pas envie de finir fossilisés dans le plancher parce que tu tombes dans la lune sans arrêt !

Mathilde entra son code dans la caisse enregistreuse pour la énième fois, et un bip sonore lui indiqua qu'elle avait de nouveau commis une erreur. Elle passa des doigts nerveux sur son front.

— Pousse-toi de là ! Je vais le faire, si on veut s'en sortir cette année !

Mathilde recula et laissa Xavier s'exécuter. Elle déglutit. Elle étouffait sous les regards furieux que dardaient sur elle les clients. Une dame secoua la tête, impérieuse.

Mathilde s'appuya sur le comptoir, la main sur sa poitrine serrée. Tout tournait autour d'elle.

— Je n'en peux plus, chuchota-t-elle d'une voix imperceptible.

— Franchement ! Depuis le temps que tu travailles ici, j'aurais juré que tu parvenais à te débrouiller !

La panique s'empara de Mathilde. Des millions d'aiguilles criblaient sa peau. Son souffle s'accéléra. Elle manquait d'air. La charge qui cambrait son échine allait bientôt la pulvériser !

— Tu m'écoutes, au moins ? continuait de ronchonner Xavier, sans lui accorder un regard.

Suffoquant, Mathilde arracha son tablier et se précipita à l'extérieur.

— Tu vois ? Ce n'est pas si difficile !

— Euh… monsieur, elle s'est sauvée…

— Quoi ?

À un mot de la fin

« La mort, comme un terrier,
comme une chambre aux rideaux fermés,
comme la solitude, est à la fois horrible et tentante :
on sent qu'on pourrait y être bien. »

Amélie NOTHOMB, *Métaphysique des tubes*

Mathilde courait à en perdre haleine. Elle ne courait pas pour rattraper sa vie, mais pour la fuir. S'en échapper, s'en défaire, s'en affranchir. Elle remonta la rue principale jusqu'au bout de la ville, puis grimpa au sommet de la colline qui surplombait le fleuve. Là étaient disposés quelques bancs qui accueillaient les randonneurs et les amoureux. Cependant, en ce vendredi de printemps lourd et sombre, le belvédère avait été déserté. Elle frissonna et remarqua qu'elle portait encore son uniforme de travail, un polo vert gazon assorti d'un pantalon bleu foncé. Elle regrettait un peu que ce soit la dernière chose qu'elle n'allait jamais revêtir.

Elle enjamba le garde-corps et se retrouva confrontée à l'étendue d'eau furieuse qui venait se briser avec éclat au bas de la falaise. Absorbée par cette férocité, elle n'admira ni la vue ni les cumulus gris qui voguaient au-dessus de sa tête.

Elle se jetterait à la mer, se perdrait dans sa masse noire et opaque, comme une bouteille porteuse d'un message de désespoir. Et un jour, alors que Bruno étreindrait Julianne dans le parc, l'océan rapporterait sur ses berges son corps brisé, enveloppé d'algues et parfumé de varech. Son ex-copain comprendrait à ce moment son désarroi, sa détresse. Il aurait honte.

On reprocherait aussi à Xavier de l'avoir si souvent humiliée. Et sa mère… Eh bien, sa mère ne saisirait rien, comme d'habitude. Son père, lui, ne se rappellerait sans doute pas qui elle était. Ses voisins et ses connaissances, eux, la regretteraient, pleureraient sur son sort, et c'était ce qu'elle souhaitait. Cela constituait une vision bien romantique de ce qui suivrait sa disparition, mais peu importait, elle se contenterait de finir sur cette note.

Un sourire serein étira ses lèvres, certainement un des premiers qu'elle esquissait depuis longtemps. La brise douce embua ses yeux tandis qu'elle observait, avec un mélange de fascination et d'amour, les clapotis tout en bas. Elle serait délivrée. Elle tendit un pied dans le vide. Une lumière blanche l'envahit.

Une main lui agrippa soudain le coude.

— Hé ! Pourrais-tu m'indiquer la direction du centre-ville ?

Mathilde hoqueta. On venait de lui couper son élan. Elle ignora l'impertinent et continua d'avancer. On la retint encore.

— Attention, tu vas tomber.

Cette fois, ce fut trop.

— C'est ce que j'essaie de faire, imbécile ! aboya-t-elle.

Elle se surprit elle-même à employer un tel ton.

— Laisse-moi tranquille ! cracha-t-elle.

— Tu vas te casser quelque chose…

Furieuse, Mathilde risqua un œil par-dessus son épaule.

Elle aperçut un garçon plus jeune qu'elle, d'environ quatorze ans, qui affichait un rictus moqueur.

Était-ce possible ? Ce garçon avait parfaitement compris ce qu'elle tentait d'accomplir et il se payait sa tête ? N'aurait-il pas dû éprouver du respect, de l'empathie ou de la compassion envers elle ? Tout sauf ce cynisme ! Personne ne se montrait aussi insolent dans une telle situation !

Elle reporta son attention vers l'eau et pinça les lèvres, résolue. La seule chose qu'elle ressentit fut un profond vertige, qui l'écœura. Voilà ! L'impulsion du moment était passée. Elle avait manqué sa chance de mettre un terme à sa vie à cause d'un jeune touriste égaré.

— Tu n'as pas froid, habillée comme ça ?

Les poings serrés, Mathilde poussa un soupir d'irritation. Pourquoi posait-il toutes ces questions ?

Résignée, elle revint de l'autre côté de la balustrade. À quoi bon, sa délivrance n'arriverait pas aujourd'hui. Une fois traversée, elle sentit ses mains se mettre à trembler violemment. Elle s'affala et se cacha le visage, confuse. Les premières gouttes de pluie s'écrasèrent sur sa nuque exposée au ciel.

Mathilde hurla entre ses dents serrées et tambourina le sol de ses poings, le plus fort qu'elle put. Elle aurait souhaité tout arracher, tout casser, tout saccager. Un poisson hors de l'eau, vulnérable, se débattant d'instinct, cherchant son air.

Elle demeura recroquevillée un instant, les yeux fixés sur ses poignets dissimulés par une montre et un bracelet. Elle avait raté. Encore.

— J'ai un manteau dans mon sac, si tu veux.

Toujours médusée, elle le détailla. Blond et pas très grand, il était affublé d'une étrange combinaison de sport d'un blanc immaculé marquée du chiffre zéro au dos. À son oreille gauche pendait un petit anneau argenté. Cet accoutrement bizarre reflétait sans doute une nouvelle mode urbaine avec laquelle Mathilde n'était pas familière.

Malgré ses vêtements, il se dégageait une telle assurance du garçon qu'on en oubliait le reste. Et il affichait un curieux air de malice.

Il mastiqua sa gomme à mâcher et souffla une bulle.

L'averse s'abattit sur eux et le garçon lui tendit un anorak, aussi d'un blanc lumineux. Déconfite, Mathilde l'accepta.

— Merci.

— Ouais, ou tu attraperas ton coup de mort !

Il éclata d'un rire goguenard. Mathilde grimaça.

Il lui présenta sa main et, d'un geste, l'aida à se redresser. Elle ne savait trop quelle attitude adopter face à lui. Elle n'était certes pas reconnaissante, pourtant elle ne lui en voulait pas ; il avait simplement agi en bon samaritain.

— Tu désires en parler ? demanda-t-il d'un ton railleur.

— Non, lança-t-elle, agacée.

— Ça pourrait te faire du bien...

— Fous-moi la paix !

Mathilde redescendit la colline à grands pas afin de se débarrasser de cet intrus trop envahissant et trop curieux. Le garçon fut vite sur ses talons.

— Tu ne vas pas te pousser avec mon manteau, quand même !

La jeune fille arrêta sa course. Elle réalisa à ce moment qu'elle ne savait pas du tout où se rendre. En abandonnant tout derrière quelques minutes auparavant, elle ne prévoyait pas revenir ; à présent, elle se sentait perdue. Comme si elle avait quitté la ville depuis des mois déjà et qu'elle la regagnait en étrangère.

— Allez, montre-moi un peu le coin et je te paye un café.

Mathilde hocha doucement la tête et reprit sa marche. À moins de s'adonner à l'autostop et de quitter la ville, elle n'avait pas le choix d'y retourner. Elle manquait trop de courage et d'énergie pour refaire sa vie ailleurs, incognito.

— D'où viens-tu ? s'enquit-elle à son compagnon, sans réellement lui porter d'intérêt.

— De la métropole. J'ai été pris sur le pouce et je me suis retrouvé sur la route qui longe l'eau. J'ai marché le reste du chemin.

— Et tu as un nom ?

— J'en ai même plusieurs ! Malheureusement, ils sont tous horribles.

— Ah ? Tes parents étaient des marginaux ? badina la jeune fille, intriguée malgré elle.

— Non, je dirais plutôt des fanatiques. Tu peux m'appeler Mot. C'est un diminutif…

— Mot ? Pour Maurice ? Ou Mortimer ?

— De grâce, ne cherche pas trop, s'esclaffa-t-il avec un rire communicatif. Et toi ?

— Mathilde. Mathilde Poisson.

L'instant d'après, ils arpentaient la rue principale. Un alléchant parfum embaumait l'air.

— Qu'est-ce que ça sent ?

— Les petits pains à l'orange et au pavot du boulanger. C'est sa spécialité.

Mathilde le savait, car depuis qu'elle et sa mère avaient emménagé dans leur minuscule appartement, huit ans auparavant, elle en respirait les effluves chaque matin.

— Il faudra que j'essaie ça !

Mathilde sourcilla. Quelques minutes plus tôt elle était sur le point de mettre fin à ses jours et maintenant elle papotait d'insignifiances avec un pur inconnu.

La jeune fille prit soin de ne pas approcher l'épicerie et évita même de regarder dans cette direction. La seule perspective de croiser l'air supérieur de Xavier Beaumont lui donna un haut-le-cœur.

C'était par contre dans ces situations qu'elle se détestait le plus. Elle se recroquevillait devant les affronts et demeurait incapable de s'affirmer. Elle manquait de courage comme de dignité.

Docile Mathilde, docile Mathilde.

Plus loin sur la rue, Mot et Mathilde se frayèrent un chemin à l'intérieur d'un petit café. Un rideau de billes multicolores séparait le portique du commerce bondé. Dans cet environnement exigu et éclaté, les murs étaient tapissés de bandes dessinées, et les fauteuils bigarrés accueillaient la faune branchée de la ville.

— Waouh ! C'est plein, ici ! s'exclama Mot.

— Il y a beaucoup de monde en congé avec la semaine de relâche du cégep, alors ils se rencontrent ici.

Mathilde se dissimula dans un recoin, esquivant la foule, et prit place à une table peinte de fleurs naïves. Elle se sentait encore abasourdie par la tournure des événements : sa tête était demeurée au bord de la falaise et son corps ne lui appartenait plus, se mouvant de façon mécanique comme un androïde. Elle avait l'impression d'évoluer loin de la réalité, ainsi elle sursauta lorsque son compagnon demanda :

— Qu'est-ce que tu vas prendre ? Je t'offre tout ce que tu désires !

— Je...

La jeune fille porta le regard vers les tableaux suspendus au-dessus du comptoir afin de faire son choix. Elle remarqua alors une silhouette familière.

— Oh non ! glapit Mathilde en se détournant, la main levée pour se cacher le visage.

— Qu'y a-t-il ? s'enquit Mot.

Mathilde hésita, puis chuchota :

— Le gars près du comptoir... C'est mon ex ! Il ne doit pas me voir ici !

— Quoi ? Il a marqué son territoire ?

— Bien sûr que non ! Je ne veux juste pas être obligée de lui parler !

— Tu as autant le droit que lui d'être ici... Alors, tu es décidée ?

Cachée derrière l'éventail de ses doigts écartés, Mathilde détailla la scène avec embarras.

Oubliant les appréhensions de sa compagne, Mot se planta en file à côté de Bruno, qui attendait sa commande. Le garçon héla un des serveurs, un jeune marginal aux dreadlocks rassemblées en toque, qui le reçut avec une expression dédaigneuse.

— Vous n'avez pas du vrai café, ici ? maugréa Mot.

Le serveur lui désigna la liste de choix avec un geste irrité.

Bruno ramassa son plateau d'une main et son café de l'autre, puis pivota. Il se buta au sourire narquois de Mot.

— Excuse-moi, lâcha Bruno distraitement pour inviter le garçon à se pousser.

Fier, le menton levé, Mot ne semblait pas intimidé le moins du monde, même si son vis-à-vis le dépassait d'une bonne tête. « Un vrai petit coq, ce gars », songea Mathilde, découragée de le voir provoquer cet affront. Pourquoi avait-elle suivi ce délinquant jusqu'ici ?

— Tu dois sentir un courant d'air, ta braguette est descendue, mon gars.

Bruno baissa les yeux. En constatant que Mot avait raison, il s'empourpra. Son plateau et sa tasse en équilibre dans une main, il tenta de relever sa fermeture éclair.

— Et fais attention à…

Bruno perdit pied et trébucha en avant.

— … tes lacets, conclut Mot. Oups !

Le café tomba avec fracas, aspergeant les gens autour. D'un geste digne d'un saltimbanque, Mot rattrapa les pâtisseries avant qu'elles n'atteignent le sol. Il les porta ensuite vers Julianne, attablée à deux pas, et les déposa avec un salut théâtral.

— Voilà, ma belle ! Ils ont l'air savoureux, ces baklavas, dis donc ! Mais montre-leur un peu de respect et évite d'aller les vomir après, railla le garçon.

Un silence lourd s'abattit. Les yeux ronds, tous fixaient d'un regard incrédule le fauteur de trouble. Sans accorder la moindre importance à cette réaction, Mot rejoignit Mathilde et l'entraîna par le bras à l'extérieur.

— Viens, Matie ! Il y a trop de monde ici ! En plus, ils n'ont pas de vrai café, juste de la bouillie aromatisée !

Une fois dehors, Mathilde l'observa, la main sur la bouche, atterrée.

— Tu es…

— Tu sortais vraiment avec ce connard empoté ? Tu vaux bien mieux que ça, il me semble ! Ha ! En tout cas, je l'ai bien remis à sa place ! ricana-t-il, fier de lui.

— Tu n'avais pas le droit de faire ça, tu ne connais pas ces gens-là ! s'écria la jeune fille.

Mot leva les yeux au ciel, indifférent.

— Bon… Je m'excuse ! Je ne recommencerai plus, OK ? Où est-ce qu'on peut trouver un vrai café, ici ?

Mathilde regarda derrière la vitre du commerce qu'ils venaient de quitter et remarqua Julianne, livide, qui bondit de sa chaise et courut vers la salle de bain. Muni d'une serviette de papier, Bruno épongeait sa chemise maculée de taches. Il jeta un œil furibond en direction de Mathilde. La jeune fille se détourna.

Sans l'avertir, Mot traversa de l'autre côté de la rue. Il l'attendait devant un restaurant à la façade défraîchie, qui n'avait pas dû être rénové depuis trente ans.

— Tu viens ou quoi ? l'interpella-t-il.

Mathilde se dirigea vers lui, les poings crispés et les lèvres pincées.

— À cause de toi, je ne pourrai plus jamais remettre les pieds dans cet endroit !

Exaspéré, le garçon répliqua :

— C'est si important ? Ça me semble être un repaire de snobs superficiels.

Mathilde allait protester, puis se ravisa.

— Et Julianne, je ne savais pas qu'elle était... Tu es certain de ce que tu insinuais ?

Mot haussa les épaules.

— Ça saute aux yeux. À part d'être maigre comme un clou, ses cheveux sont fins et ternes, elle est pâle à faire peur et elle a le bout des doigts bleutés.

— Oh ! Je n'avais jamais remarqué ! La pauvre ! Ce... c'est si triste !

— Il est grand temps que les gens arrêtent de lui dire à quel point elle est belle et de la féliciter pour son tour de taille minuscule. Elle a un gros problème entre les deux oreilles à régler. Mais quand on a un profil de mannequin, ça n'intéresse personne...

Troublée, Mathilde resta immobile, le regard dans le vide. Mot la tira par la manche.

— Alors, c'est fini, les remords ? Viens, je ne t'ai pas encore payé ton café !

Dans le restaurant, quelques habitués s'alignaient en silence devant le comptoir et un couple occupait une banquette au fond. Mot choisit une table devant la vitrine, tout en signalant sa présence à la serveuse. Mathilde se laissa tomber sur la chaise face à lui.

— Tu es bizarre, toi. Comment peux-tu déduire des choses pareilles chez de parfaits étrangers ?

— Je ne sais pas. Je lis les gens comme des livres ouverts.

— C'est un don ?

— … ou un fléau, appelle ça comme tu veux.

La serveuse vint prendre leur commande et repartit aussitôt. Il s'agissait d'une femme entre deux âges, si effacée qu'on la remarquait à peine. Mot la suivit du coin de l'œil.

De son côté, Mathilde se demanda ce que Mot devinait en elle. Il devait la considérer comme une fille stupide, banale, futile… Elle en éprouva un dégoût d'elle-même.

Une fois son café terminé et Mot reparti, où irait-elle ? Elle ne rentrerait surtout pas chez elle : sa mère devait être dans un bel état, à cette heure ! Mathilde n'avait nulle part d'autre où se réfugier, personne à qui se confier. Depuis que Bruno avait rompu, leurs amis communs semblaient l'éviter. Elle n'était pas avenante, personne ne s'intéressait à elle.

Se rendrait-elle de nouveau à la falaise ?

Mot planta avec délice sa fourchette dans l'énorme morceau de gâteau aux carottes qu'il venait de recevoir.

— Le glaçage est exquis, affirma-t-il la bouche pleine. Tu en veux ?

Morose, Mathilde secoua la tête.

— Allez ! Tu ne vas pas te priver comme l'autre cruche...

— Comment peux-tu te montrer aussi sans-cœur ?

— C'est bon de s'offrir des petits bonheurs parfois, rétorqua-t-il, évitant la question et lui présentant un ustensile débordant de gâteau sous le nez.

Résignée, elle mordit dedans et ne put retenir un sourire en léchant les miettes qui s'accumulèrent au coin de sa bouche.

— Bien ! Maintenant, arrête d'être aussi grise qu'un lundi matin de pluie.

Mathilde en perdit sa brève démonstration de joie.

— Tu ne comprends rien.

— Tu crois ?

La jeune fille s'isola dans un mutisme obstiné. Mot, lui, héla la serveuse.

— C'est vous qui avez cuisiné ce gâteau ?

— Euh... oui, répondit la serveuse en se tordant les mains nerveusement, redoutant une plainte.

— Eh bien, félicitations ! C'est le meilleur que j'aie eu le plaisir de manger. Je me suis lancé pour défi de goûter tous les gâteaux aux carottes que je trouvais sur mon chemin, et celui-là remporte la palme ! s'exclama-t-il, assez fort pour attirer l'attention vers lui.

La femme rougit et inclina la tête en guise de reconnaissance. Mathilde grimaça devant cette démonstration exubérante. Quand la serveuse tourna les talons, elle chuchota :

— Arrête ça ! Ce n'est pas civilisé de crier de cette façon ! Quel âge as-tu, pour l'amour du ciel ?

— En quoi complimenter cette femme peut-il être un manque de politesse ? s'enquit Mot, en haussant le sourcil.

Au comptoir, un vieil homme leva le nez de son journal et réclama sa part du gâteau.

— Moi aussi, je vais me laisser tenter ! renchérit son voisin.

Le couple plus loin termina son déjeuner, puis l'épouse interpella la serveuse :

— Je venais de dire que j'étais repue, mais il semble qu'on ne puisse passer à côté de votre fameux gâteau ! On partage ? demanda-t-elle à son mari.

— Jamais de la vie ! Je veux mon morceau.

Le vieillard au comptoir ferma les paupières en savourant sa bouchée.

— Hum ! Il me vient des souvenirs de jeunesse en dégustant ce gâteau…

— Marie, dit son voisin à la serveuse, tu vas devoir en cuisiner tous les jours, parce que je vais en prendre régulièrement !

Marie gloussa.

— C'est une recette que j'avais oubliée et que j'ai retrouvée par hasard hier…

Soudainement, l'ambiance dans le restaurant devint joyeuse, et le silence fit place à des conversations nourries et à des éclats de rire en cascade.

Surprise, Mathilde se tourna vers Mot, qui paraissait se réjouir de ce revirement de situation. Mais la jeune fille n'avait plus envie de participer à ce jeu ridicule. Elle lança quelques pièces sur la table et sortit en coup de vent.

Les miroirs sont rarement flatteurs

« La vie que j'avais ne me laissait pas être,
je ne sais pas… celui que je croyais être.
Elle ne me laissait même pas relever la tête. »
Paroles de JJ

Nick Hornby, *Vous descendez ?*

Après avoir payé la note, Mot rattrapa Mathilde et lui agrippa le bras.

— Je m'excuse encore ! implora-t-il, en joignant les mains.

Mathilde s'arrêta et le détailla, réticente.

— Tu m'avais traité de méchant plus tôt, alors j'ai essayé de me racheter…

— Tu n'es pas normal, affirma Mathilde avec un soupir agacé.

Mot éclata de rire, puis remit à la jeune fille la monnaie qu'elle avait jetée sur la table.

— C'est moi qui t'offrais ce café. En revanche, j'ai besoin de toi pour un service encore...

Mathilde hésita.

— Quoi ?

— J'aimerais que tu me conduises à l'hôpital. Mais avant, je dois passer un petit coup de fil, affirma-t-il en repérant une cabine téléphonique. Attends-moi ici.

Mathilde l'examina tandis qu'il s'éloignait. C'était le garçon le plus étrange qu'elle ait rencontré. Pire ! Il paraissait sortir d'une boîte à surprise. Et sous ses dehors extravertis et enthousiastes semblait pourtant se cacher quelque chose.

Malgré tout, elle décida de l'attendre. Elle s'adonna donc à une séance de lèche-vitrines devant les belles boutiques de la rue principale où les collections printanières s'étalaient.

Son pâle reflet dans la vitre sur fond de fringues griffées lui rappela qu'elle avait quitté son emploi quelques instants plus tôt et qu'elle se retrouvait désormais sans le sou. Elle avait besoin d'aide. Normalement, ceux qui rataient leur sortie recevaient les conseils de professionnels... Dans son cas, seul Mot savait à quel point elle était désespérée. Et ce jeune hurluberlu ne pouvait lui être d'aucun secours. Elle doutait d'ailleurs de son équilibre psychologique…

Elle avait déjà essayé d'obtenir de l'aide par le biais de l'école ; tout ce qu'elle avait récolté, c'était une psy au regard vitreux et indifférent, qui hochait parfois la tête et qui avait terminé la séance sur un « réfléchis à ça » ne référant à rien de concret.

Elle revint à la réalité lorsque Mot s'approcha en ricanant.

— Qu'y a-t-il ? s'enquit-elle.

— J'ai joué un tour à une vieille !

Puisque Mot continuait de rire, Mathilde fronça les sourcils.

— J'appelle une mémé toutes les semaines pour lui dire que j'ai un message pour elle : « Je vous attendrai cet après-midi à la salle de jeux. » Et elle se déplace chaque fois…

— Mais cette blague est cruelle ! s'exclama Mathilde.

— Le meilleur, c'est que la semaine prochaine je ne l'appellerai pas. Je suis certain qu'elle ira quand même !

Mathilde l'observait, ahurie.

— Pauvre femme ! Tu es terrible !

— Pourquoi ? Elle se morfondait chez elle depuis la mort de son mari, il y a quinze ans… Ça la fait sortir un peu ! Elle a quatre-vingts ans et tous ses morceaux, elle a encore une chance ! Et peut-être que ça va lui donner le goût de parler à ce bon vieux Nestor, qui a des vues sur elle depuis le début du monde ! conclut-il avec un coup de coude à la jeune fille.

— Tu aimes semer la pagaille, n'est-ce pas ? soupira-t-elle.

— Nan... J'aime juste que les choses bougent, point à la ligne. Alors, tu l'achètes ?

— Quoi ça ?

— La veste que tu reluques.

Mathilde reporta son attention vers le magasin devant lequel elle flânait. La veste en question était taillée dans un velours vert forêt et, sur les poches, se dessinait un motif de plumes de paon brodées. Un seul coup d'œil suffisait pour savoir que cette tenue était hors de prix.

— Un jour... très lointain ! rétorqua Mathilde.

— Donc jamais ! se moqua Mot. Remarque, c'est ton problème si tu veux rester fade.

— Tu peux bien parler avec tes vêtements blancs immaculés, Monsieur Net !

— À moins que tu aies le courage de retourner chercher ton manteau à l'épicerie ?

— Comment... Je ne t'ai jamais dit où je travaillais !

— Je n'ai eu qu'à lire sur ton polo. En plus, personne de sain d'esprit ne sortirait en public avec un chandail comme celui-là...

Mathilde roula des yeux. Elle revêtait encore l'anorak de Mot et, il avait raison, elle n'avait pas le cœur de se présenter de nouveau à l'épicerie.

— De toute façon, c'est trop cher pour moi, lâcha-t-elle en tournant les talons.

— Tu es certaine ?

— Mais oui ! Et ce type de coupe ne me va pas. Je suis trop... euh... pas assez... enfin, tu sais, je n'ai pas la taille d'une top-modèle... Et puis après, je ne vois pas pourquoi je me justifie à toi ! Je te connais depuis à peine une heure !

Mot se frotta le menton en signe de réflexion.

— Moi, je pense que ça t'ira. Tu n'as pas beaucoup de seins et tu as le derrière un peu rond, mais ce n'est rien d'irrécupérable.

— Le tact, ce n'est pas ton point fort, hein ? grommela Mathilde.

— Eh bien, qui n'essaie rien n'a rien.

— Après, est-ce que tu vas cesser de m'importuner ?

Mot la suivit dans la boutique avec un sourire satisfait.

La vendeuse, elle, sembla déçue de voir entrer deux jeunes personnes. Elle était sans doute habituée à recevoir des femmes de carrière ou de riches rentières, qui repartaient avec la moitié de l'inventaire à chaque visite. Consciente de son statut d'ex-étudiante sans emploi, Mathilde figea sur le seuil et Mot la força à avancer d'une poussée.

— Elle veut voir le manteau exposé à l'avant, affirma-t-il, sans se préoccuper de l'attitude froide de la vendeuse.

La femme dénuda le mannequin qui arborait fièrement son costume. Mathilde enleva l'anorak dégoulinant de Mot et s'examina dans la glace. Elle donnait un triste spectacle ; ses longs cheveux mouillés tombaient en lourdes boucles brunes devant ses yeux bouffis de chagrin. Son uniforme fripé ne l'avantageait pas non plus.

En enfilant le veston aux plumes de paon, la transformation fut immédiate. La couleur fit briller ses pupilles et égaya son teint. Même la coupe épousait parfaitement ses épaules et sa taille.

Mot émit un sifflement, et la vendeuse ne put retenir un compliment.

— Cette veste semble avoir été taillée sur mesure pour vous !

Mathilde demeura figée de stupeur devant le miroir. Elle se rembrunit en voyant le prix.

— C'est trop, souffla-t-elle à contrecœur.

La vendeuse hocha la tête avec un air entendu et tendit la main pour reprendre le vêtement.

— Une minute ! Il y a une autre étiquette sous le bras, dit Mot.

L'employée sourcilla.

— Il... il s'agit d'un rabais, bredouilla-t-elle.

— 75 % de moins ! Matie, tu vas pouvoir te le payer...

La vendeuse les observait sans comprendre. Depuis leur entrée, elle n'avait perdu aucun des gestes de ces adolescents ; ils n'avaient donc pas pu attacher cet avis de solde sans qu'elle le remarque.

Mathilde fit un calcul rapide dans sa tête : c'était plus que ce qu'elle se permettait normalement et elle n'aurait sans doute pas dû le considérer puisqu'elle avait laissé son boulot, mais cette dépense ne mettrait pas en jeu son budget mensuel, car elle ne connaissait pas son avenir et avait décidé de ne pas y accorder trop d'espoir... Et au diable ces hésitations ! Elle se l'offrait !

La vendeuse vérifia le prix du manteau et, à sa grande surprise, le code inscrit dans la caisse indiqua que l'article était effectivement en solde.

— Le voulez-vous dans un sac ?

— Non, je vais le porter tout de suite, dit Mathilde, rayonnante.

En sortant de la boutique, la jeune fille remarqua que la vendeuse les scrutait avec une expression hébétée.

— Elle a l'air fâchée que ce soit moi qui reparte avec la veste.

— Ou c'est probablement parce que je lui ai déclaré qu'elle serait plus belle si elle avait l'air moins bête. Ou encore parce que je lui ai pincé le derrière.

Désarçonnée, Mathilde s'esclaffa. Mot lui fit un clin d'œil, complice.

— Tu avais repéré cette étiquette dans la vitrine ? interrogea la jeune fille.

Il haussa les épaules.

— C'est peut-être ton jour de chance, qui sait ?

— Tu blagues ?

Mathilde secoua la tête et lui emboîta le pas.

Devant l'hôpital, Mot leva les yeux et scruta un instant le bâtiment. Mathilde perçut son incertitude. Elle lui tapota l'épaule.

— Bonne chance, Mot. On se reverra un jour…

— Ça te dérangerait de m'accompagner ?

— Qu'est-ce que j'irais faire là ?

Mot se tourna vers elle, se mordillant la lèvre.

— Je n'ai pas vraiment envie d'y aller seul. Ça me rassurerait.

Mathilde doutait qu'il ait besoin de réconfort, néanmoins, elle céda. Là se trouvait peut-être la preuve qu'il affichait une façade confiante pour cacher autre chose. Elle se sentirait trop coupable d'abandonner ce garçon à son sort s'il s'avérait qu'à son tour il avait besoin de soutien. De plus, elle n'avait pas d'autre endroit où se rendre et, pour l'instant, elle redoutait encore un peu la solitude.

Mathilde pénétra dans le bâtiment, la tête calée entre les épaules et les yeux rivés au sol. Elle n'avait jamais aimé les hôpitaux, les jugeant trop sinistres. La mort arpentait chacun des couloirs, s'introduisant sournoisement dans les chambres pour ravir quelques âmes au passage. La jeune fille craignait toujours d'apercevoir un accidenté déversant son sang sur le plancher, ou encore un défiguré pour qui la vie ne serait jamais plus la même.

Et il y avait l'espoir aussi, qui demeurait omniprésent. L'espoir de guérir, l'espoir de s'en sortir, l'espoir d'être miraculé... L'espoir ne faisait pas partie du registre de Mathilde. Pour elle, la vie était un vortex dont on ne parvenait pas à s'échapper ; l'optimisme n'y occupait donc aucune place. On naissait pour mourir. Elle préférait tirer sa révérence sans rien attendre.

Dans l'ascenseur, Mot appuya sur le bouton du cinquième étage : « Soins longue durée ». Mathilde déglutit. Un timbre sonna et les portes s'ouvrirent sur un palier où fourmillaient des gens affairés.

— Qui viens-tu visiter ? demanda Mathilde, évitant d'arrêter son regard sur quiconque.
— Un gars que j'ai rencontré il y a quelque temps.
— Il est très malade ?

— Je te dirai ça quand je l'aurai vu. Va dans la salle d'attente, ça ne sera pas bien long.

— Mais... je croyais que tu voulais que je t'accompagne !

— Juste que tu sois proche, ça me réconforte, répondit-il avant de disparaître dans un couloir.

Mathilde soupira avec l'amer sentiment d'avoir été piégée malgré elle. Elle jeta un œil à la ronde, puis repéra une pièce vitrée un peu en retrait. Dans cette véranda, l'air était chaud et l'ambiance, feutrée, avec des divans confortables et des bibliothèques remplies de livres et de jeux de société.

Mathilde prit place. Intimidée, elle se sentait comme une intruse. À sa gauche, deux personnes âgées disputaient une partie de cartes, ponctuant chaque tour par des éclats de rire. À sa droite, une femme se pencha de son fauteuil roulant pour atteindre sa fourchette tombée plus loin. Mathilde se précipita pour l'aider et lui tendit l'ustensile. La femme la gratifia d'un sourire radieux.

— Merci !

Elle devait avoir une trentaine d'années et son crâne glabre se hérissait de quelques poils duveteux. Ses joues se creusaient, pourtant elle avait fait l'effort de les rosir et d'appliquer du rouge à lèvres. Mathilde remarqua dans l'embrasure de sa robe de chambre que sa poitrine aplatie paraissait comprimée dans un bandage. Cette femme avait dû être très jolie, et Mathilde discernait encore l'optimisme dans ses grands yeux clairs.

La femme retourna à son repas et Mathilde s'avança vers la fenêtre pour observer le paysage. Le fleuve argenté sinuait et, au-delà, on distinguait les berges de la rive opposée. Les nuages s'étaient morcelés, et un trait de lumière perçait les cumulus.

— C'est beau ici, n'est-ce pas ? Quand on voit un rayon de soleil comme celui-là, on a le droit de faire un vœu, murmura la femme.

Mathilde hocha la tête sans se retourner. Il était facile de deviner ce que cette femme souhaitait. Elle aurait volontiers troqué sa santé défaillante contre celle que Mathilde était prête à jeter en bas d'une falaise.

Mathilde pivota pour partir quand elle vit accourir un petit garçon d'environ trois ans brandissant une rose comme une baguette magique.

— Maman !

Il sauta au cou de la femme. Une fillette de six ans, plus sage, le suivit. Puis un homme cerné et hirsute déposa un baiser sur le front de la malade.

— Maman s'est mise toute belle aujourd'hui ! s'exclama-t-il.

Les enfants répondirent avec enthousiasme.

Étranglée par l'émotion, Mathilde s'enfuit de cette scène pathétique et se réfugia dans une salle de bain. Elle s'aspergea le visage d'eau glacée, le souffle court et la gorge serrée. Elle ne leva pas les yeux vers la glace, trop gênée. Comme elle se détestait à ce moment ! Elle s'en voulait d'être aussi faible !

Elle émergea de son refuge au bout de plusieurs minutes. Non loin, à la porte d'une chambre, un médecin discutait à voix basse avec un homme et une femme.

— Les nouvelles ne sont pas bonnes... Quelques semaines, un mois tout au plus.

Avec un sanglot, la femme se cacha le visage entre les mains.

— Est-ce qu'il souffre ? s'enquit l'homme.

— Arrêtez donc de faire comme si je n'étais pas là ! s'écria une voix rêche de la pièce adjacente.

La femme pouffa à travers ses larmes.

— Tu ne dors pas, toi ? gronda-t-elle.

Le médecin sourit.

— En tout cas, chose certaine, il est encore très lucide...

Accroché au support de son sac de soluté, un jeune homme boitillant croisa ensuite le chemin de Mathilde avec une extrême lenteur, chacun de ses gestes nécessitant une immense énergie.

Vite ! Mathilde devait fuir ce lieu tragique ! Prise d'un malaise, elle déguerpit en direction de l'ascenseur et entra de plein fouet dans Mot.

— Ça va, j'ai terminé.

— Tu as fait exprès de m'emmener ici, non ? Tu souhaitais que je me sente moche, c'est ça ?

Un bip sonore alerta le personnel d'une anomalie et plusieurs infirmières s'engouffrèrent dans un corridor, celui d'où venait Mot.

— Qu'est-ce que... C'est peut-être ton ami ? interrogea Mathilde.

— Peut-être.

L'ascenseur s'ouvrit et Mot poussa Mathilde à l'intérieur, sans se préoccuper de la frénésie soudaine qui régnait au cinquième étage.

— Comment ça « peut-être » ? Tu n'es pas inquiet ? Tu ne veux pas voir ?

— De toute façon, il était temps pour lui de partir.

— Tu ne l'as pas débranché, au moins ?

Elle se jeta sur le bouton d'alarme. Mot la retint.

— Mais non ! Je ne peux pas débrancher quelqu'un qui n'est pas branché ! Il faut croire qu'il attendait que je le visite pour partir...

Mathilde se retira dans un coin.

— Sa vie se réduisait à plus grand-chose depuis des années. Il était atteint d'une maladie dégénérative des muscles et il n'avait plus les capacités d'accomplir quoi que ce soit tout seul. Il ne pouvait ni marcher, ni manger, ni se laver, ni même parler. En plus, sa vue baissait. Crois-moi, dans son cas, c'est une délivrance.

Les portes coulissèrent et ils sortirent en silence sur l'esplanade devant l'établissement. Ébranlée, Mathilde articula :

— Mot, on se sépare ici.

Il haussa les sourcils.

— Tu penses encore que j'ai tué ce gars ?

— Non, mais ta vision de la vie est trop cynique pour moi.

— Tu peux bien parler, Mademoiselle « Je-me-balance-au-bord-des-précipices-pour-attirer-l'attention ».

— Ah ! Va te faire voir !

Sans crier gare, Mot l'entraîna vivement derrière un parapet et la força à s'accroupir. Lorsqu'elle protesta, il lui posa un doigt sur les lèvres.

— Chut !

Près d'eux, Mathilde entendit des pas parcourir le bitume humide. Dès qu'ils s'éloignèrent, Mot risqua un œil de l'autre côté du muret.

— Ne me dis pas que tu es recherché en plus ! persifla la jeune fille, interloquée.

— Voyons, tu penses que je me promènerais en plein jour dans la rue si c'était le cas ? Non, mais il y a deux types qui me talonnent... Ma tête ne leur revient pas.

— Ils ne sont pas les seuls... Maintenant, laisse-moi partir !

Elle se redressa en époussetant son nouveau veston et quitta son énigmatique compagnon d'une démarche hardie.

— Tu ne vas pas me larguer comme ça ! s'écria-t-il.

Elle poursuivit son chemin. Il l'appela à plusieurs reprises, mais elle continua d'avancer jusqu'à ce qu'elle ne l'entende plus.

Sabordage parmi les sirènes

« La vie est une chienne qui se noie
en vous entraînant avec elle. »

Élaine Turgeon, *Ma vie ne sait pas nager*

Après tout, cela lui ferait un grand bien de réfléchir seule sans avoir ce clown dans les pattes. Mathilde s'arrêta à une intersection et se demanda où elle irait. Ce ne serait pas très original de regagner le parc de la falaise : Mot la retrouverait immédiatement et l'accablerait des discours pseudo-philosophiques qu'il déclamait sans arrêt.

Elle demeura au coin de la rue un moment, éclaboussée par la bruine que soulevaient les voitures vrombissantes. D'instinct, elle bifurqua à droite et suivit un chemin qu'elle avait souvent parcouru. Lorsqu'elle leva les yeux, elle constata que ses pas l'avaient menée à l'Hôtel Camélia, où elle avait travaillé comme femme de chambre jusqu'à l'automne précédent. Hélas, faute de boulot, le propriétaire avait dû la congédier.

Heureusement, lors des périodes creuses, le patron, monsieur Lafleur, lui permettait encore de profiter de la piscine. Mathilde songea que cela lui donnerait une bonne occasion de s'isoler pour ruminer à sa guise.

Elle s'introduisit dans le hall de style art nouveau avec son mobilier aux lignes organiques, son parquet noir et blanc et ses murs peints de couleurs riches. C'était, après la gare et l'hôtel de ville, un des plus vieux édifices de la ville, et Mathilde y portait une affection particulière. Ici, elle avait l'impression d'être une aventurière du siècle dernier, dans un pays exotique comme l'Inde ou le Siam, elle qui n'avait à peu près jamais quitté son patelin.

Aujourd'hui, monsieur Lafleur n'était pas présent derrière le comptoir d'accueil. L'hôtesse était une jeune femme blonde que Mathilde ne connaissait pas. Avec son teint de pêche et sa chevelure aux boucles vaporeuses, celle-ci rappelait les muses des tableaux de Klimt. L'insigne à sa poitrine indiquait « L. Espérance ». Enceinte de plusieurs mois, elle se déplaçait avec difficulté, économisant ses mouvements. Elle accueillit Mathilde avec un hochement de tête amical.

— Désolée pour ma lenteur... mais j'ai parfois l'impression que je suis sur le point d'éclater !

Mathilde rit de cette autodérision.

— Vous le portez bien quand même !

La femme inclina la tête.

— Heureusement, il ne me reste plus qu'une semaine de boulot avant mon congé !

— Euh… est-ce que ce serait possible que je me rende à la piscine ? Puisque j'ai travaillé ici, monsieur Lafleur me le permet lorsque…

— Ah ! Bien sûr, allez-y ! Les journées humides comme aujourd'hui, il n'y a jamais personne de toute façon. Vous pouvez aussi prendre un peignoir dans le vestiaire !

Mathilde la remercia et s'enfonça dans le bâtiment le sourire aux lèvres ; il y avait de ces gens qui, par un simple sourire ou une parole, savaient vous réconforter sans que vous l'ayez demandé.

En passant la porte battante, Mathilde constata que la véranda de verre givré qui abritait la piscine était effectivement vide. Même les jours gris, cette pièce paraissait ensoleillée et chaleureuse, car elle était égayée de murales représentant une faune océanique colorée. Les mosaïques bleue, mauve et turquoise qui couvraient le plancher donnaient aussi un cachet particulier à ce décor qui, tristement, commençait à s'effriter. Sur une des fresques, un poisson doré semblait défiguré. Sur l'autre, une sirène avait perdu le sein gauche, et cette marque prenait l'apparence d'un cœur à l'envers.

Mathilde n'avait pas de maillot de bain, mais elle jugea que la camisole et la culotte qu'elle portait sous son uniforme conviendraient. Elle verrouilla quand même la porte derrière elle ; si quelqu'un tentait d'entrer, elle aurait le temps de se rhabiller.

Elle plongea. Le contact à la fois doux et rafraîchissant de l'eau la soulagea. Elle effectua quelques brasses rapides puis se laissa flotter, les bras en étoile, les yeux clos.

Si Mot ne l'avait pas interrompue quelques heures plus tôt, elle voguerait déjà tranquillement dans le monde sous-marin, apaisée par le va-et-vient des vagues. Elle retint son souffle et coula, doucement, cajolée par une myriade de bulles cristallines. Repliée sur elle-même, enveloppée par le poids de l'eau, elle aurait souhaité que ce moment dure une éternité. Naviguer loin, loin, loin.

Une poigne de fer lui agrippa l'épaule et la sortit de son cocon limpide. Elle hurla en reprenant son air et voulut se débattre.

— Salut ! ricana une voix qui, par malheur, lui était familière.

Du plat de la main, Mathilde essuya l'eau de son visage. Accroupi au bord du bassin, Mot la fixait d'un air ironique.

— Alors, on essaie encore de fausser compagnie aux vivants ?

— Franchement ! Qu'est-ce que tu crois ? Je n'allais pas me noyer ici ! s'exaspéra Mathilde.

— On ne sait jamais avec toi ! Tu es pire qu'un vieux saumon ; tu cherches à rejoindre une étendue d'eau à n'importe quel prix.

— Comment es-tu entré ?

— Par le vestiaire des hommes.

Mathilde leva les yeux au ciel ; elle avait bloqué tous les accès… sauf celui-là.

— J'ai raconté à l'hôtesse que j'étais ton cousin adoré te rendant visite depuis une contrée lointaine et que tu raffolerais de la surprise. Elle m'a montré le chemin avec des étoiles dans les yeux, conclut-il, en bon comédien.

Mathilde s'enfonça sous l'eau. Elle parcourut la piscine d'un crawl agressif afin de décharger sa colère et de rejoindre le peignoir qu'elle avait laissé à l'autre bout. Pourquoi ce garçon exaspérant lui collait-il aux talons ? Avait-il le béguin pour elle ?

Elle se précipita hors du bassin et, sitôt sa sortie de bain enfilée, elle remarqua qu'il avait ôté ses vêtements et pataugeait à son tour. Elle s'étendit alors sur une chaise longue et réfléchit à un des commentaires du garçon.

Pourquoi était-elle attirée par l'eau ? Peut-être était-ce dû à son incapacité à laver son chagrin par les larmes. Désirait-elle se dégager de son angoisse et de sa peine, se purifier ?

La tronche hilare de Mot émergea près d'elle.

— Je ne le fais pas pour attirer l'attention, murmura Mathilde, sans le regarder.

— Non ?

— Si tu ne m'avais pas interrompue ce matin, je serais simplement… disparue. Personne n'aurait su où je me trouvais, et cela aurait peut-être pris des mois avant qu'on me repêche… si on ne m'avait pas oubliée avant.

— Tu sais que c'est un peu radical comme solution ? lui demanda Mot.

— Et puis ? Ça serait si bien de s'endormir pour l'éternité, oublier tout.

— C'est plus définitif que le sommeil. Il n'y a rien après, juste le néant. Le noir total.

— Peut-être que je pourrais me réincarner, mériter un nouveau départ, imagina Mathilde, rêveuse.

— Ta prochaine vie sera peut-être pire que celle-là…

— Même mon nom le dit ! Je ne devrais même pas vivre sur la terre ! J'appartiens à l'eau !

— Mais il y a des poissons volants… C'est bien mieux de s'envoler que de couler, non ? plaisanta-t-il.

Mathilde accorda un regard courroucé au garçon.

— Ah ! Et pourquoi je t'explique tout ça ? Tu es trop jeune pour comprendre. Tu me prends pour une fille futile. Tu penses que mes problèmes sont imaginaires, que je n'ai pas de raison d'être découragée. C'est certain, je ne suis pas atteinte d'un cancer et je ne meurs pas de faim dans un pays du tiers-monde, pourtant je ne vois pas d'issue ! Je ne veux pas continuer à subir mon existence, je ne vais nulle part ! D'ailleurs, si je pars, ce n'est pas comme si j'allais manquer à quelqu'un ! s'énerva-t-elle la gorge nouée.

Mot leva les yeux au ciel et haussa les épaules avant de s'enfouir sous l'eau.

Mathilde décida de laisser Mot à son sort et longea le bassin pour entrer dans le vestiaire. Puisqu'elle n'entendait plus aucun clapotis, elle jeta un œil par-dessus son épaule.

La surface de la piscine était lisse, sans vague. La jeune fille fronça les sourcils et chercha des yeux son pénible compagnon. Ce devait être une de ses blagues idiotes pour la mettre hors de ses gonds une fois de plus. Eh bien, il ne gagnerait pas ! Il pouvait se noyer si ça lui chantait, elle ne lèverait pas le petit doigt pour lui.

Elle prit ses vêtements dans le vestiaire. Inconsciemment, elle tendait l'oreille : elle ne percevait aucun bruit de l'autre côté de la porte. Son pantalon dans une main, elle hésita.

Et non ! Elle ne flancherait pas pour un bouffon pareil !

Furieuse, elle retourna près du bassin. L'eau demeurait calme, et les habits de Mot s'amoncelaient en une petite montagne blanche à l'autre bout.

La jeune fille avança le nez et distingua une masse informe au fond de l'eau.

— Mot ? appela-t-elle. Mot, arrête tes singeries ! Mot !

Elle tapa du pied, impatiente. Il retenait son souffle depuis plus de deux minutes. Cet idiot finirait par s'évanouir ! Elle devait le secourir ! Ah ! Il payerait cher cette mise en scène stupide !

Mathilde arracha son peignoir, inspira un bon coup et se lança. Elle nagea jusqu'à Mot, immobile en position fœtale, et lui secoua le bras. Il ne réagit pas. Elle l'agrippa sous les aisselles et tenta de le remonter à la surface, mais quelque chose la freinait. Il semblait aussi lourd qu'une pierre. Elle tira et tira, sans qu'il bouge d'un poil. Sous l'effort, la jeune fille relâcha son air. En voyant les précieuses bulles d'oxygène lui échapper, elle songea qu'elle étoufferait bientôt elle aussi.

En proie à la frayeur, elle appuya les pieds sur le fond du bassin. Avec une force désespérée, elle réussit à le libérer du lien invisible qui le retenait. Enfin, elle le remorqua jusqu'au bord et l'allongea sur le carrelage du sol.

Mot ne toussa ni ne cracha. Il battit des cils, et son habituel sourire mièvre étira ses lèvres exsangues.

— Tu me connais à peine et tu tenais assez à moi pour venir me secourir, coassa-t-il d'une voix enrouée.

Haletante, Mathilde rétorqua :

— Donc tu n'étais pas en difficulté ? Tu étais conscient tout ce temps ?

Elle leva la main pour le frapper, mais il prévint son geste en lui attrapant le bras.

— Tu paniquais sous l'eau ? De quoi avais-tu peur ? se moqua-t-il.

Mathilde se libéra de sa poigne et se redressa, frustrée d'avoir de nouveau été prise au piège. Elle referma les pans de son peignoir, les dents soudées par la colère.

— Pourquoi me suis-tu ? Pourquoi ne me laisses-tu pas...

— Vivre ? ironisa-t-il.

— Non, respirer en paix.

— Parce que tu es trop importante.

— Je ne suis pas importante ! Je ne suis qu'une poussière, un grain de sable dans l'univers ! Je ne suis rien !

D’un bond, Mot se leva et lui plaqua la main sur la bouche.

— Tais-toi !

Surprise, elle suivit le regard du garçon. Deux ombres noires arpentaient les vitres troubles qui entouraient la pièce. Après quelques minutes, Mot se détendit.

— Qui était-ce ? s’inquiéta la jeune fille.

— Je te l’ai déjà dit.

— Ils ne te lâchent pas. Comment t’ont-ils retrouvé ?

— Ils ont du flair.

Troublée, Mathilde baissa les yeux. Elle remarqua alors que le garçon était complètement nu. Contrariée, elle le repoussa brusquement dans la piscine.

— Espèce de petit pervers !

Elle gagna le vestiaire au son de son rire tonitruant.

Au moment où elle allait quitter l’hôtel, le patron l’interpella. Elle rougit et marcha jusqu’à lui. Peut-être monsieur Lafleur la réprimanderait-il d’avoir utilisé la piscine sans être une employée…

Devant le sourire paternel du sexagénaire, cependant, elle se rappela à quel point il se montrait toujours affable.

— Bonjour, Mathilde ! Tout va bien pour toi ?

La jeune fille hocha machinalement la tête.

— Écoute, je sais que tu travailles à l’épicerie… commença l’homme.

— Pas depuis ce matin ! annonça Mot qui arrivait, les cheveux mouillés et ébouriffés.

Mathilde fusilla le garçon des yeux. Sans se soucier d'elle, Mot tendit la main au patron de l'établissement.

— Bonjour, je suis son cousin ! Eh oui, la pression était rendue si forte aujourd'hui que Mathilde est partie du magasin sans même prendre le temps de se changer.

La jeune fille voulut répliquer mais s'empourpra de nouveau en songeant qu'elle revêtait effectivement son uniforme. Elle saisit le bras de Mot, plus fermement que nécessaire, et maugréa :

— N'embête pas monsieur Lafleur avec mes histoires...

— En fait, Mathilde, je suis content que tu sois ici, commença le patron. Puisque la haute saison arrive et que nous allons perdre notre réceptionniste dans une semaine, je me demandais si tu aimerais la remplacer, s'enquit monsieur Lafleur.

Mathilde fixa le patron du Camélia, bouche bée.

— Le salaire est plus élevé que ce que tu obtenais l'an dernier. Ce serait en général pour la semaine et quelques soirs... Tu pourrais commencer mercredi prochain, le temps de t'habituer.

— J... je n'ai pas d'expérience ! Je ne sais pas si... bafouilla la jeune fille.

Monsieur Lafleur lui tapota l'épaule.

— Je ne suis pas inquiet. Tu es exemplaire dans tout ce que tu entreprends, chère Mathilde.

— Euh… Merci ! J'accepte avec plaisir !

Abasourdie, Mathilde ressortit de l'hôtel, un sourire béat flottant sur les lèvres. Quelle reconnaissance !

À côté d'elle, Mot ricanait.

— Je ne manquerai à personne, je ne suis pas bonne, je ne suis rien ! gémit-il d'une voix suraiguë, imitant la jeune fille quelques minutes plus tôt.

— Ah ! Ferme-la !

Les moqueries de Mot n'eurent pas raison de sa joie et, toujours incrédule, elle éclata d'un rire nerveux.

— Je t'avais bien dit que c'était ton jour de chance ! insista Mot.

— Bon, j'admets que je ne m'attendais pas à trouver un emploi si vite.

— Dans ce cas, il faut fêter ça !

Mot la poussa en direction d'un restaurant, à deux pas de l'hôtel. Au-dessus de la porte se balançait un écriteau de bois peint d'une gerbe de fleurs bleues sur lequel on pouvait lire, en fioritures, « L'Élysée ».

— Tu es fou ? Je ne mettrai pas les pieds dans l'endroit le plus dispendieux en ville ! s'opposa Mathilde en s'arrêtant net sur le seuil.

— C'est moi qui t'invite pour célébrer ta promotion !

— Voyons, Mot ! À ton âge, on n'a pas les moyens de se payer un luxe comme celui-là !

— Pourquoi poses-tu toujours autant de questions ? Laisse-moi t'inviter et tais-toi.

Les friandises engendrent la carie

« Rater son suicide n'est pas forcément
ce qu'il y a de pire dans l'existence.
On ne peut pas toujours tout réussir. »

Arto PAASILINNA, *Petits suicides entre amis*

Dans le portique, un garçon de table les accueillit avec un froncement de sourcils étonné. Les deux jeunes gens formaient un duo disparate, mais puisque le code vestimentaire n'était pas strict sur l'heure du midi, il se garda d'émettre un commentaire. Le serveur les conduisit à une table près de la fenêtre. Mot le remercia en glissant un billet dans sa poche.

Mathilde perçut le geste avec stupeur. Peut-être que Mot était plus prospère qu'il n'y paraissait... Mais depuis le début, rien chez ce garçon n'était prévisible.

Mathilde s'attabla, intimidée par la clientèle de gens d'affaires qui dînaient dans le bistrot. Immunisé contre le malaise, Mot déroula sa serviette de table d'un coup de poignet et en couvrit ses genoux comme un jeune aristocrate bien élevé.

En voyant la liste de prix faramineux, Mathilde referma son menu et décida qu'elle n'avait peut-être pas si faim. Si Mot bluffait, elle ne voulait pas être forcée de laver la vaisselle du restaurant pour le reste du mois... Surtout si elle avait un nouveau travail.

Le serveur revint avec une corbeille de pain.

— Je vais prendre... la tarte Tatin, le suprême au chocolat, la crème caramel et les profiteroles, demanda Mot avant de rendre son menu.

— Tu ne peux pas commander quatre desserts ! s'indigna Mathilde, en lançant un regard interrogateur vers le serveur.

— Quoi ? Il y a une loi qui l'interdit ?

— Pas à ce que je sache, sourit le serveur en notant la commande.

Mathilde soupira, excédée, et se résigna à prendre une soupe. Mot se comportait comme un gamin, même si son cynisme grinçant contrastait avec son jeune âge.

— Pourquoi t'acharnes-tu à m'embarrasser ?

— Tu es trop coincée, Matie !

— Mon nom est Mathilde ! Arrête de m'appeler Matie !

— Mathilde, c'est un nom de grand-mère…

Soudain, surgi de nulle part, un forcené martela la vitre à coups de poing. Mathilde sursauta avec un petit cri. De toute évidence, il s'agissait d'un itinérant. Il était vêtu de loques, la barbe maculée de restes de nourriture… difficile de lui attribuer un âge. En apercevant ses yeux agressifs, injectés de sang, la jeune fille détourna le regard, ébranlée.

— Je t'ai trouvé ! Je t'ai reconnu ! hurlait-il en direction de Mot, qui demeurait impassible.

Alerté par le vacarme, le serveur sortit du restaurant pour chasser l'importun. Mais l'homme revint, criant de plus belle. Ses postillons s'écrasaient, gluants, dans la vitrine.

— Tu n'avais pas le droit de me laisser ici ! Pas le droit ! Tu vas payer, sale menteur !

Lorsque le serveur réapparut, l'homme s'enfuit enfin. On envoya ensuite un plongeur armé d'un chiffon et de savon pour effacer la trace disgracieuse qui avait été laissée. Le dégât nettoyé, Mathilde se remit du choc de cette intrusion.

— Est-ce que cet homme te pourchasse aussi ? s'enquit-elle.

Mot secoua la tête, sans cesser de grignoter son morceau de pain. Le serveur se présenta alors à eux avec un sourire plaqué sur les lèvres, se tordant les mains avec nervosité.

— Nous sommes terriblement désolés de cet incident. Cet homme rôde parfois dans le coin, mais il ne s'était jamais montré hostile auparavant. Pour cela, nous vous offrons votre repas et ce sera aux frais de la maison ! Vraiment, pardonnez-nous…

Mot approuva avec un sourire satisfait. Le serveur disparu, Mathilde leva un air interloqué vers son compagnon.

— Comment as-tu fait ?

— Quoi ça ? Je n'ai rien fait…

— Ils ne distribuent pas de plats gratuits, dans ce genre d'endroit ! Dis-moi, Mot, qui es-tu ?

Mot pouffa, amusé.

— Pourquoi dis-tu ça ?

— Parce que rien de ce qui arrive autour de toi n'est banal !

Leurs plats furent apportés en grande pompe. Lorsque la cloche d'argent fut soulevée de sa crème de poireaux, garnie de trois petits pétoncles grillés et de brins de ciboulette fraîche, Mathilde remercia le serveur à voix basse. Elle se sentait si minable dans ce décor, elle aurait préféré que le propriétaire leur refuse l'accès au bistrot.

Elle ne cadrait pas du tout ici. Dans un casse-tête de trois mille morceaux, elle était la pièce égarée d'une autre image qui venait faire intrusion dans la boîte.

D'ailleurs, l'avait-elle déjà trouvée quelque part, sa place ?

La voyante de la gare, qui l'avait tirée au tarot à quelques reprises, lui mentionnait chaque fois ce problème, qu'elle lisait aisément dans les cartes que Mathilde pigeait. Ses jeux comportaient aussi très souvent la présence du diable. Une attache à des liens néfastes, un boulet qui la retenait en permanence, selon la médium. Pas nécessairement une personne, peut-être une partie d'elle-même. Quelque chose qui l'empêchait de prendre sa place.

D'ordinaire, Mathilde se considérait comme terre à terre, elle n'adhérait pas à l'astrologie ou à cet ésotérisme farfelu. Mais avec la perspicacité que démontraient ces interprétations, il était difficile de ne pas y croire.

En face de Mathilde, Mot se frotta les mains avec délice avant d'attaquer un des quatre desserts qui s'étalaient devant lui. Son choix se porta sur le suprême au chocolat, qu'il engouffra en quelques bouchées. Mathilde ne put s'empêcher de sourire, se demandant qui était vraiment cette créature qui carburait au sucre et aux inepties.

La jeune fille baissa les yeux sur son potage, regrettant presque de ne pas s'être laissée affrioler par les autres tentations au menu.

Elle balaya la salle du regard. Plus personne ne les observait. Personne ne les avait peut-être jamais observés non plus. Elle s'inquiétait sans doute trop de ce que les autres pensaient.

À la table d'à côté, un groupe discutait haut et fort. La conversation animée se termina par un éclat de rire général. Dans un coin, un couple graciait ses murmures de sourires mielleux, amoureux. Mathilde se détendit et entama son plat.

Avec un soupir satisfait, Mot s'épongea les lèvres puis déposa sa serviette sur la table.

— Excusez-moi, demanda-t-il au serveur. Est-ce que vous pourriez m'emballer les profiteroles pour apporter ?

— Bien sûr, monsieur.

Mathilde leva encore une fois les yeux au ciel. En plus, cet énergumène avait le culot de réclamer un sac de restes dans le resto le plus chic de la ville !

Le serveur reparut avec un sac de papier. Mot lui emprunta son stylo pour y inscrire quelque chose, puis gratifia l'employé d'un généreux pourboire avant de partir. Aussi étonnée qu'intriguée, Mathilde suivit son compagnon à l'extérieur. Quand il déposa son paquet à l'embouchure d'une ruelle, elle s'exclama :

— Hé, pourquoi laisses-tu ça là ?

— Parce que c'est son dessert préféré.

— Qui ? L'itinérant qui s'est jeté sur la vitre du restaurant ?

— Oui.

— Ah ! Donc tu le connais ! Comment pourrais-tu savoir ce qu'il aime, autrement ?

— Voyons, parce que tout le monde aime les profiteroles...

— Pas moi ! Moi, ce n'est pas ce que je préfère ! affirma Mathilde, courant derrière Mot pour le rejoindre.

— Mais toi, Matie, tu n'es pas normale. Tu te promènes au bord des falaises le matin. Un autre aurait choisi la corde, le pistolet, le gaz, les lames de rasoir ou encore les pilules... Toi, tu préfères t'empaler sur des pics rocheux dans la mer, parce que ça te paraît plus romantique. Ça te semble normal, ça ?

Mathilde s'apprêtait à exploser de colère quand elle entendit une voix chantante prononcer son nom.

— Mathilde !

Elle se tourna pour voir qui l'appelait. Une ancienne copine du cours de théâtre, Roxane, accourait, son habituel sourire éblouissant retroussant sa bouche charnue. Lorsqu'il aperçut la jeune fille, Mot en perdit son air frondeur et demeura pantois, figé d'admiration. Car Roxane était non seulement très jolie, elle possédait aussi un charisme fou. Auréolée d'une crinière de longues boucles aux reflets de caramel, elle papillotait de ses grands yeux marron, pleins d'expression et d'allégresse. De plus, elle revêtait une palette impressionnante de couleurs éclatantes. Accoutrée d'un manteau de laine violet, d'un jean orange et d'espadrilles rouges, elle arriva enveloppée d'un subtil nuage de parfum de fruits.

Et malgré l'éloquence de Roxane, personne n'éprouvait de jalousie envers elle et personne ne la détestait. Elle incarnait la joie de vivre. Un rayon de soleil ambulant que tous et toutes aimaient fréquenter. Une humaniste dans l'âme.

Pourtant, Mathilde rougissait chaque fois qu'elle la voyait, comme si elle ne se jugeait pas digne de son amitié.

— Super ta veste, Mathilde ! Comment vas-tu ?

— Bien, lâcha simplement Mathilde, embarrassée par la question.

— Tu nous manques trop depuis que tu as abandonné les cours ! Je n'ai pas retrouvé de coéquipière aussi efficace... Qui est ton ami ? s'enquit Roxane en tendant la main à Mot.

— Ça, c'est mon cousin *adoré* débarqué d'une contrée lointaine pour me faire une *belle* surprise, ironisa Mathilde.

Mot reprit un peu ses esprits et secoua les doigts de la jeune fille. Il la toisa d'un œil inquisiteur, oscillant entre la fascination et la crainte. Mathilde sourcilla, amusée par ce comportement inusité.

— Enchantée, s'exclama Roxane, réservant un air énigmatique au garçon. Hé, Mathilde, tu es au courant que Xavier Beaumont te cherche partout ?

Ahurie, Mathilde porta la main à son front.

— Oh non ! Il veut probablement me sermonner jusqu'à ce que mort s'ensuive !

— Je ne sais pas... Il m'apparaissait plus inquiet que fâché, assura Roxane.

— Je n'ai rien à lui dire ! Vite, il faut que je me cache quelque part !

— Tu devras le confronter à un moment ou à un autre, releva Mot, les bras croisés.

— Si tu n'es pas pressée de te mesurer à lui, je sais où il ne sera pas cet après-midi... Puisque c'est congé, madame Fontaine, la prof de théâtre, organise un tournoi d'impro au cégep. C'est justement là que je me rendais. Ça te dit de venir ? Ton cousin aussi est invité !

Mathilde hésita. Elle aurait souhaité se trouver un coin calme afin de réfléchir... Par contre, avec Mot dans le portrait et Xavier sur les talons, cela semblait impossible. La ville n'était pas assez grande pour qu'elle s'adonne à une introspection sans être dérangée. Depuis ce matin, elle avait l'impression d'être emportée par une vague sans pouvoir ni s'arrêter ni s'ancrer quelque part.

— Allez, Matie ! Pour ton petit cousin *adoré*, la nargua Mot.

Mathilde acquiesça à contrecœur. Avec un cri de jubilation, Roxane battit des mains et l'entraîna par le bras vers l'école, située à quelques pâtés de maisons de là.

Sur les planches du grand théâtre

« En outre, nous savons que la vie n'est qu'un théâtre
où nous faisons les bouffons aussi longtemps
que ce rôle nous amuse. »

Robert Louis STEVENSON, *Le club du suicide*

Dès qu'elle franchissait le seuil du cégep, l'anxiété de Mathilde s'apaisait. Si cela semblait curieux pour certains, l'école était le seul endroit où Mathilde se sentait à peu près à l'aise. Elle avait peu de difficultés avec ses matières scolaires et se fondait bien dans la foule. Elle se faisait discrète, personne ne la bousculait, ne lui demandait rien.

L'école représentait son évasion, sa fuite, son répit. Si elle avait pu, elle y serait demeurée vingt-quatre heures par jour.

Lorsqu'elle avait réalisé qu'elle devait abandonner ses études car elle ne disposait plus des moyens pour continuer, elle avait immédiatement mis un terme à ses cours. Elle avait manqué la dernière semaine d'examens pour s'éloigner, pour penser. Pour se promener au parc de la falaise. Pour songer à l'avenir. Pour décider qu'elle n'en méritait peut-être pas.

Elle n'était pas revenue depuis son abandon. Elle ne tenait pas à revoir son ancien cercle d'amis.

Le tournoi d'impro se déroulait dans le gymnase où une scène avait été aménagée pour les acteurs en herbe. Dès que Roxane fit son entrée, tous se tournèrent vers eux et les saluèrent avec enthousiasme.

Patricia Fontaine, petite femme cinquantenaire au chignon blond et aux rondeurs généreuses, s'avança vers les nouveaux arrivés les bras ouverts, avec un geste emporté et exubérant.

— Roxane ! Et tu as trouvé la belle Mathilde, en plus ! Bienvenue ! Bienvenue !

Intimidée, Mathilde aurait voulu demeurer à l'écart et simplement observer le jeu de loin, mais madame Fontaine lui prit la main et l'attira vers la scène.

— Et toi, Mathilde, tu vas jouer ? Bien sûr que tu vas jouer ! s'enquit-elle, répondant sans gêne à sa propre question.

— N... non ! Je suis ici seulement à titre de spectatrice !

— Ah ? Pourtant, au dernier semestre, j'avais noté une grande amélioration dans tes talents oratoires ! Et tu avais été plus que convaincante dans la pièce que vous aviez montée en classe !

« Pas difficile, j'interprétais une fille docile et stupide », se rappela Mathilde.

Un garçon jovial, aux cheveux longs et aux épaisses lunettes noires, renchérit.

— En plus, il nous manque un joueur dans l'équipe des bleus !

Il lança un chandail indigo d'une taille démesurée à la jeune fille incertaine.

— Je ne peux…

— Tu n'as pas le choix, ma chère ! Ne t'inquiète surtout pas, ce sera amusant ! Nous sommes ici pour avoir du plaisir, l'encouragea madame Fontaine.

La professeure ne semblait pas se douter que Mathilde avait renoncé à suivre ses cours et qu'elle n'était plus une étudiante… Ou peut-être le savait-elle ?

Mathilde tourna un regard épouvanté vers Roxane et Mot qui observaient la scène, ravis. Surtout Mot, qui se payait une fois de plus sa tête. Lui et Roxane paraissaient avoir tout concocté, unis par une complicité instantanée. Mathilde les fusilla des yeux.

Dans la salle, seules les planches étaient éclairées ; le reste du parterre demeurait sombre. Des nombreux spectateurs on ne distinguait que le vacarme de leurs conversations.

La jeune fille fut accueillie dans son équipe avec des claques amicales sur l'épaule. Derrière elle, Roxane enfila son maillot bleu.

— Tu étais au courant que les bleus cherchaient quelqu'un ? C'est pour ça que tu m'as apostrophée dans la rue ? s'enquit Mathilde à son amie sur un ton de reproche.

— Pas du tout ! gloussa Roxane. Mais je suis quand même très chanceuse de t'avoir croisée !

Mathilde avait la gorge dans un étau. Les mains glacées, moites. Le souffle court. Des frissons partout. C'était l'abattoir. Du coin de l'œil, elle surveillait la sortie. Elle attendit patiemment son tour, la bouche sèche. Ses cinq coéquipiers se montraient sympathiques, cependant. Puisqu'elle remplaçait quelqu'un d'absent, ils ne lui demandèrent pas de jouer en solo et la gardèrent pour les improvisations impliquant plusieurs joueurs. Et malgré tout, elle s'en tira très bien, la répartie de Mot l'ayant réchauffée depuis le début de la journée. Elle parvint même à s'amuser un peu.

La joute se terminait bientôt, et Mathilde expira de soulagement. Ça ne s'était pas si mal passé. Pendant près d'une heure trente, elle avait réussi à mettre ses problèmes de côté. Derrière elle, dans l'assistance, elle entendait le rire de Mot retentir.

En fin de partie, le pointage était nul entre les deux équipes.

— Il faut donc ajouter un dernier sketch pour déterminer un gagnant ! déclara madame Fontaine.

L'arbitre, un grand dégingandé de deux mètres, pigea une carte et la lut à voix haute, le visage impassible pour mieux rendre son personnage de médiateur.

— Improvisation mixte qui a pour titre : « Le suicide ». Nombre de participants : un par équipe. Accessoire : une chaise. Durée : deux minutes.

Ce titre pétrifia Mathilde. Elle crispa les poings si fort que ses jointures blanchirent. Par-dessus son épaule, Mot lui chuchota à l'oreille :

— Tiens donc ! C'est pile un rôle pour toi, Matie !

— Oui, Mathilde ! ajouta Roxane. Tu n'as pas encore vraiment joué, voilà ta chance !

Le reste de l'équipe se joignit à cet appui tandis que Mathilde secouait la tête, médusée. Une poussée dans son dos la projeta au centre du ring, où elle fut confrontée à un garçon des rouges.

Tremblante, des larmes d'humiliation lui brouillant la vue, elle grimpa sur la chaise qui trônait au milieu de la scène. Le coup de sifflet résonna en écho dans sa tête et l'improvisation débuta. Le joueur des rouges s'exclama :

— Hé, qu'est-ce que tu fais là ?

Mathilde gardait les yeux au sol, le gosier retourné.

— Ce… c'est bizarre, articula-t-elle.

Elle arrivait à peine à émettre des sons, seul un mince filet de voix franchissait sa bouche.

— Quoi ça ? rétorqua le joueur rouge, tentant de s'ajuster, de prendre le rythme de Mathilde.

La jeune fille était pourtant bien loin de suivre la joute. Elle s'humecta les lèvres. Un nerf affolé battait à sa tempe.

Une vague monta soudainement en elle et elle s'essuya les yeux avec la manche trop longue de son gilet. Dans l'ombre, autour de la scène, elle aperçut des visages attentifs et intrigués. Elle allait tout rater. Encore. Elle n'était bonne qu'à ça.

Avant que son opposant ne continue le jeu, elle lâcha un flot de paroles pêle-mêle.

— C'est bizarre. La mort m'a toujours terrorisée. Mais à force d'avoir mal à l'âme en permanence, j'ai cru que j'allais bien finir par en mourir. J'ai l'impression que j'ai un fil barbelé enroulé autour du cœur et qu'il se resserre un peu plus chaque jour. Je me dis que mon cœur va finir par rompre, qu'il ne reste plus de place pour la souffrance, mais chaque matin je me réveille et je sais qu'il y a encore moyen de m'enfoncer un peu plus bas. Alors j'ai décidé d'affronter la mort avant qu'elle ne se décide à venir me chercher. Je n'ai plus confiance en la vie, elle m'a toujours laissée tomber. Désormais, j'ai plutôt confiance en la mort. Je sais qu'elle viendra, un jour ou l'autre. C'est pourquoi je vais à sa rencontre...

— Ne fais pas ça ! Tu ne...

— Pourquoi pas ? Je suis transparente, personne ne me voit !

— Moi, je te vois...

— Tu ne me vois que parce que je suis maintenant au bord du précipice. Autrement, m'aurais-tu remarquée ? Non, je n'ai plus le goût. Plus le goût de sourire, plus le goût de vivre, plus le goût d'espérer. Rien ne m'amuse, rien ne me console. Je suis épuisée, je veux me reposer. Ma décision est prise.

— Mais... pense à moi !

— Et toi, as-tu déjà pensé à moi ?

Le sifflet stridula pour marquer la fin de l'échange.

Mathilde tremblait de tous ses membres. Elle avait débité ses pensées sans même reprendre son souffle. Près d'elle, son adversaire la fixait, bouche bée. Les spectateurs affichaient le même air éberlué.

Mal à l'aise, Mathilde descendit de sa chaise, sans bruit. Les applaudissements fusèrent alors, de même que les cris et les sifflements. Les spectateurs levèrent leurs cartons de vote.

— Les bleus l'emportent à l'unanimité ! s'écria madame Fontaine, ravie.

La jeune fille ignora cette victoire et le délire autour. Elle marcha droit vers Mot qui tapait des mains, son air malin la défiant. Elle l'empoigna sans douceur.

— C'est toi qui as mis cette idée de sketch dans la boîte, hein ? grogna-t-elle.

— Comment aurais-je pu ? Je suis resté assis tout le long, argua-t-il, les paumes levées au ciel.

— Si j'avais des couteaux à la place des yeux, tu ne serais pas mieux que mort !

Elle aurait voulu gifler le garçon pour lui arracher son sourire.

La coincer, la forcer de façon éhontée à étaler ses pensées les plus profondes devant un auditoire ! Seulement, elle n'eut pas le temps de rendre à Mot la monnaie de sa pièce qu'une cohue la félicitait, en pâmoison devant son extraordinaire numéro.

— Tu as été géniale ! Tu nous as fait gagner ! s'exclama Roxane.

— Ma chère, tu as donné une performance à tomber sur le derrière ! s'extasia madame Fontaine.

— Ouais, Matie, on croirait presque que tu vas aller te jeter en bas d'une falaise d'un moment à l'autre, railla Mot.

Madame Fontaine hurla.

— Oh ! Mon Dieu ! Quel gaspillage de talent ce serait !

Étourdie, Mathilde se prit la tête entre les mains. Étaient-ils tous en proie à une folie collective ?

— Je te convoque donc à nos prochains tournois. Ce n'est pas une requête, mais un ordre ! avertit la professeure.

— Et je pense que nous allons la garder dans notre équipe, affirma le garçon aux lunettes noires qui endossait le rôle de capitaine des bleus.

Mathilde sourit, même si cette démonstration de joie ne provenait ni de son cœur ni de sa tête. Cela ressemblait plutôt à une expression plaquée, à une grimace entretenue comme lorsqu'on sourit trop longtemps pour une photo. Elle avait l'esprit trop à l'envers pour écouter ces éloges. Elle voulait se sauver, disparaître en fumée à l'instar d'un habile magicien.

Afin d'apaiser les compliments, elle inclina la tête avec reconnaissance, puis ôta le maillot bleu et enfila son veston aux plumes de paon. Avant qu'elle ne se dirige vers la sortie, Roxane la rattrapa.

— Je suis *vraiment* contente que tu sois venue, dit-elle, gratifiant Mathilde d'un tendre sourire. Si ça te tente, demain soir, j'invite des amis chez moi pour une petite fête. Ça te donnera l'occasion de connaître un peu plus l'équipe d'impro.

Demain ? La vie de Mathilde devait s'achever aujourd'hui, alors qui savait ce que demain lui réservait ? Elle n'avait même pas l'intention de revoir le soleil se lever...

— Peut-être... On verra, esquiva-t-elle.

— Tu peux aussi emmener Mot !

Mathilde adressa un regard assassin au garçon en question.

— Je crois qu'il ne sera plus ici.

— Dommage ! Il est craquant, ton cousin, remarqua la jeune fille avec un clin d'œil coquin.

Mathilde salua Roxane et se précipita à l'extérieur pour inspirer une bouffée d'air frais. Elle avait failli se noyer dans cette mer de bons sentiments qui la forçait à se percevoir comme un imposteur, une hypocrite jouant les actrices éplorées. Elle ne méritait pas d'éloges ;

elle avait simplement un gros problème qu'elle aurait dû régler ce matin.

Quelques pas derrière, Mot la suivait.

— Va-t'en.

— Qu'est que j'ai encore fait ? soupira-t-il, agacé.

— Je ne t'adresse plus la parole. Au revoir.

Elle s'éloigna dans la rue d'un pas déterminé.

— Matie ! N'est-ce pas ce que tu voulais ? Que ta mort devienne la performance de ta vie ?

— Idiot !

Mathilde s'efforçait de ne pas l'écouter, de l'ignorer. Malheureusement, les flèches que décochait sans cesse le garçon avaient le don de la mettre hors d'elle. Le ridicule, ou peut-être l'acuité, de ses réflexions ne la laissaient jamais indifférente.

Malgré elle, les larmes jaillirent de ses yeux. De colère, de frustration, d'épuisement. De soulagement, aussi, car elle sortait gagnante de l'épreuve improvisée qui s'était présentée sur sa route.

Mathilde se dressa alors face à Mot et s'écria :

— Pourquoi es-tu encore là, pour l'amour du ciel ? Tu veux ma peau, ma vie, ma mort, hein ?

— Je n'ai rien demandé.

— Alors pourquoi est-ce que tu me suis comme ça ? Tu essaies de me tuer ou de me sauver ?

— Intéressant, comme théorie… Faut croire que je me trouvais à la bonne place au bon moment…

— Eh bien, tu sais quoi ? C'est un droit fondamental ! Pourquoi est-ce que je devrais endurer cette vie si je n'en ai pas envie ?

— À mon avis, le suicide, c'est plutôt un manque de savoir-vivre…

Exaspérée, elle se détourna de lui, qui avait assurément une réponse loufoque à tout. En relevant les yeux, elle repéra une silhouette bien familière qui arpentait le trottoir, une intersection plus loin.

— Oh non ! Xavier Beaumont !

Elle devait se cacher le plus vite possible !

À quelques pas de là, elle aperçut la porte d'une clôture blanche qui menait à l'arrière d'une résidence. Sans hésiter, elle s'engouffra dans l'ouverture, préférant être accusée d'entrée par effraction que de se mesurer à son tyrannique superviseur de travail.

La mélodie délie les maux

> « Quoi que l'on dise, quoi que l'on fasse,
> le temps s'enfuit et tout s'efface. »
>
> Charles TRENET, *Miss Emily*

À l'instar d'Alice aux pays des merveilles, la jeune fille bascula dans une impressionnante cour intérieure. À ses côtés, Mot faisait figure de lapin blanc.

Entouré d'immenses haies, ce jardin avait sans doute été magnifique jadis, mais les ravages du temps et de l'hiver l'avaient rendu broussailleux et désolé. De cette œuvre subsistaient des bulbes de perce-neige, qui perforaient les derniers amas de glace. Autour d'une fontaine vide, un chemin de pierres se ramifiait en plusieurs allées, qui partaient en tous sens comme les rayons d'un soleil. Dans un coin, sous les branches basses d'un saule, un banc de bois se dissimulait.

Hypnotisée par ce charmant décor, Mathilde perçut les notes parfois discordantes et maladroites d'un piano. Un enfant devait répéter ses gammes dans la maison vieillotte parcourue de vignes grises.

— Tu devras affronter ce Xavier un jour ou l'autre, jugea Mot.

— Pas si je peux l'éviter ! rétorqua Mathilde.

— Tu n'es pas curieuse de savoir ce qu'il a à dire ?

— Pfff ! Non ! Absolument pas ! maugréa-t-elle.

La porte de la maison grinça et un vieillard apparut, courbé sous le poids de l'âge tel un arbre noueux. Ses cheveux encore gris étaient soigneusement lissés vers l'arrière et dégageaient son visage, sillonné de rides plus profondes que les canyons d'une carte topographique.

— Euh… bonjour ?

Ahurie, Mathilde eut un mouvement de recul, craignant que l'homme ne porte plainte.

— Oh ! Je suis désolée, monsieur ! Je… je ne voulais pas déranger… Ce… c'est que…

— Elle tente d'éviter un gars qu'elle ne peut pas sentir, simplifia Mot.

L'homme âgé éclata d'un grand rire. Il se déplaça à l'aide de sa canne et, d'un geste, les invita à entrer.

— Pour vous cacher, vous serez plus confortables à l'intérieur !

— Non… nous ne… commença Mathilde, avant que Mot ne l'empoigne et l'attire dans la confortable demeure.

Au-delà du seuil, dans une vaste salle de séjour feutrée aux murs d'un beige onctueux, trônait un grand piano noir et astiqué. Nulle trace d'enfant, mais une quantité incroyable de cadres et de photographies étalées un peu partout. Une odeur réconfortante flottait dans l'air. Mathilde vit, déposé sur une table basse, un plateau rempli des pains à l'orange et au pavot qui faisaient la renommée du boulanger.

— Moi, c'est Joe. Servez-vous, les jeunes ! *God !* On ne sait pas combien de temps vous resterez planqués ici ! se moqua le vieillard.

Mathilde allait refuser, quand Mot et sa dent sucrée se ruèrent sur les petits gâteaux. Le goinfre ! On aurait dit qu'il n'avait rien ingurgité depuis des jours !

La jeune fille se laissa finalement tenter. Elle parcourut ensuite la mosaïque de clichés qui tapissait la pièce. La majorité représentait un groupe de quatre musiciens en concert, à travers les âges, à travers les époques. Le style des vêtements, des coiffures et des décors changeait, les visages vieillissaient. Par contre, les instruments de musique demeuraient les mêmes : une trompette, une contrebasse, un piano, une batterie et, parfois, un saxophone.

Les membres du groupe semblaient bien s'amuser. Leur jazz rythmé filtrait à travers les images, donnant à la pièce l'aspect festif des coulisses d'une salle de spectacle. Ici résonnait un air harmonieux de Louis Armstrong ; là, un refrain entraînant de Glenn Miller ; tantôt un jazz envoûtant comme celui de John Coltrane, puis un blues nostalgique du sud ou un rock'n'roll endiablé...

Transportée par ce voyage dans le temps, Mathilde remarqua que le pianiste sur chacune des photographies ressemblait à leur hôte.

— C'est vous qui jouiez du piano un peu plus tôt ?

— Oui, hélas ! se désola Joe.

Il leva des mains boursouflées par l'arthrite, les doigts tordus et crochus.

— J'ai eu mon heure de gloire. Aujourd'hui, c'est un peu plus difficile... *God !* J'ai peut-être trop abusé des bonnes choses, ricana-t-il.

Joe attrapa un pain avec la dextérité d'un homard. Malgré son handicap, il semblait étrangement serein.

— Jouez donc encore pour nous ! l'incita Mot.

Le vieil homme parut surpris. Mathilde donna un coup de coude dans les côtes de son compagnon, afin de l'empêcher d'insister et d'embarrasser Joe.

— Oh... ben... Comme je l'ai mentionné, je ne suis plus très habile.

— Pas grave ! Vous verrez, j'ai les mains pleines de pouces, moi aussi ! Et il faut bien distraire cette demoiselle qui est, selon moi, beaucoup trop coincée…

Bon joueur, Joe prit place au piano. Mot s'assit à côté de lui sur le banc, avec un sourire de connivence. Joe entonna les notes d'une balade. Gauche, il accrochait parfois les touches voisines. Avec un hochement de tête, il se reprit. Son sourire ne quittait pas ses lèvres craquelées, et il se plaisait autant à promener les doigts sur les notes immaculées qu'à ses premiers concerts. Mot l'observa un instant, puis posa à son tour les mains sur le clavier. Doucement, le garçon suivit la mélodie. Il connaissait cet air populaire, ainsi il ne tarda pas à trouver la bonne cadence. Le duo, d'abord confus et cacophonique, s'accorda au fur et à mesure que les notes défilaient.

Envoûtée, Mathilde vint s'appuyer sur l'instrument.

Voyant que son partenaire s'enhardissait, Joe enchaîna avec une autre chanson, plus difficile, un rock impétueux de Jerry Lee Lewis. Mot releva le défi et pianota plus vite, plus fort. Les mains de Joe étaient réchauffées à présent ; il ne commettait plus aucune maladresse et ses doigts volaient sur les touches, plus légères que des papillons butinant allègrement. Le tempo augmenta encore et dans la caisse, les petits marteaux battaient à une vitesse folle. À son tour, Mot balaya le clavier pour faire dégringoler les notes.

Cet incroyable concert arracha un rire à Mathilde, qui ne pouvait s'empêcher de taper du pied. Les murs vibraient, les lustres tintaient, la maison au complet semblait danser.

La musique se termina quand les deux complices s'esclaffèrent, essoufflés par cette mélodieuse tirade.

— Jeune homme, il y a plus de vingt ans que je n'ai pas joué comme ça ! Tu es un vrai prodige pour ton âge !

— Ouais… Je me débrouille pas mal.

— Je dirais plutôt qu'il a plusieurs tours de cachés dans son sac, admit Mathilde. Vous étiez… fantastiques ! Mot, tu ne m'avais pas dit que tu t'intéressais à la musique !

— Ben… ce n'est pas venu sur le sujet.

— *God !* Ça me rappelle mon jeune temps ! Quand Bob, Arnie, le grand Frank et moi, nous faisions la tournée des salles de spectacles. Chaque soir, c'était la fête ! J'avais une santé… et un foie de plomb, à cette époque-là ! confia Joe, appuyé sur sa canne, en se levant avec difficulté.

Mathilde s'installa dans un des moelleux divans fleuris.

— Vous avez quand même un impressionnant jardin, releva la jeune fille.

— Il a déjà été extraordinaire ! Il a même remporté quelques prix. Malheureusement, c'est ma femme, Paulette, qui avait les pouces verts. Elle est décédée il y a trois ans. Et elle n'avait pas juste des talents horticoles, elle chantait comme un vrai rossignol !

Joe attira leur attention sur une photographie parmi la panoplie. Surgissait de l'ombre une femme au doux visage encadré de boucles soyeuses, qui rappelait Ingrid Bergman. Mathilde l'avait remarquée sur plusieurs autres clichés.

— Lorsque Arnie s'est pointé avec cette fille, je ne voyais plus rien d'autre ! J'en ratais mes entrées en scène, je mélangeais les couplets... Ils étaient fiancés, mais j'étais trop amoureux pour l'ignorer !

Il secoua la tête et reprit, comme pour lui-même :

— J'ai eu beau être marié soixante ans, je ne crois pas qu'Arnie m'ait jamais pardonné... Il a toujours été orgueilleux, le vieux schnock ! Dommage que nous nous soyons perdus de vue... *God !* Je n'ai jamais rencontré de type plus drôle que lui !

— J'ai l'impression qu'il n'existe plus d'histoires d'amour semblables, déplora Mathilde avec un soupir. Aujourd'hui, les gens sont pressés, ils recherchent l'âme sœur sur mesure dans des catalogues. Et en éternels insatisfaits, ils désirent plus et mieux. Plus de performances, des formes aux bonnes places...

— Bon, Matie qui sort ses concerts de violons, commenta Mot.

Joe sourit.

— Des imbéciles, il y en a toujours eu et il y en aura toujours. Il ne faut pas se laisser démonter pour ça ! Des fois, la bonne personne se trouve juste sous notre nez...

— Du moment que vous ne parlez pas de *lui*, lâcha Mathilde avec une moue dégoûtée, en désignant Mot du menton.

— Hé, je n'ai jamais insinué que tu m'intéressais, protesta le garçon.

La sonnette de l'entrée carillonna. Joe sursauta.

— Je me demande... Je n'attendais personne cet après-midi...

À l'aide de sa canne, le vieillard trotta à petits pas jusqu'au hall. Il ouvrit à un homme aussi âgé que lui. Celui-ci portait d'épaisses lunettes carrées et avait les cheveux poivre et sel qui bouclaient sur la nuque.

— Oui ? demanda Joe.

Le visiteur scruta plusieurs fois le bout de papier qu'il tenait entre ses doigts tremblants.

— Joe ?

Joe plissa les yeux pour examiner son interlocuteur.

— *God !* Arnie ?

— Mon vieux, tu as l'air encore plus défraîchi que moi !

Un hurlement de rire accompagna cette remarque. Les deux hommes se firent l'accolade. Mathilde observait la scène, incrédule. En vérifiant sur le mur de photos, elle constata qu'il s'agissait bien du fameux Arnie, avec plusieurs décennies en prime...

— Je pense que c'est le moment d'y aller, lui souffla Mot.

— Hé, les jeunes ! Je vous présente mon copain Arnie qui vient de débarquer ! Nous parlions justement de toi, mon vieux ! Quel hasard !

— Il y a plus de trente ans que j'essaie de te retrouver ! Où tu te cachais, vieil ermite ?

— Nous devons partir, affirma Mot. Enchanté de vous connaître, monsieur Arnie ! Vous avez sans doute pas mal de rattrapage à faire... Merci pour les gâteaux !

Mot poussa Mathilde à l'extérieur. Sur le chemin de pierres qui menait à la rue, ils entendaient encore les rires tonitruants des anciens compagnons de débauche. Avant qu'ils n'atteignent le trottoir, cependant, Joe revint à la porte.

— Merci pour le concert, les jeunes !

— Au plaisir, monsieur Joe ! le salua Mot.

— Incroyable ! Son ami qu'il n'a pas vu depuis des années... Tu n'aurais pas quelque chose à voir là-dedans, Mot ?

— Moi ? Tu m'as vu utiliser le téléphone ?

— Non, mais... Je ne sais pas... Il y a trop de coïncidences, aujourd'hui. Bonnes ou mauvaises.

— Tant mieux. Ça met un peu de piquant.

Ils longèrent un boisé que les arbres dénudés et l'humus détrempé rendaient triste. Même l'interlude chez Joe n'avait pas eu raison de la morosité de Mathilde. Elle repensa à cette séance de piano pour laquelle le vieillard avait sans doute dépensé une énergie insoupçonnable et qu'auparavant il aurait exécutée les yeux fermés. L'art, sous toutes ses formes, avait ceci d'ingrat : on apprenait et on perfectionnait des techniques, on cultivait un talent toute sa vie jusqu'à son apogée et un jour, sans crier gare, ces dons nous étaient retirés un à un... Grandir pour mieux décrépir.

— À quoi ça sert d'apprendre des choses, de devenir un maestro, si on meurt après ? À quoi ça sert de tant souffrir pour apprendre, d'ailleurs ?

Mot haussa les épaules.

— Le sentiment du devoir accompli ?

— Ridicule ! Comment peut-on avoir le sentiment du devoir accompli si tout se termine après ? De toute façon, ça ne donne rien de plus d'être bon ou mauvais, gentil ou méchant, on va s'éteindre quoi qu'on fasse !

— Et tu continues à être bonasse... Dans ce cas, tu devrais commencer à dire un peu plus ce que tu penses, à te défendre un peu, si tout est sans conséquence.

— Pour être comme toi, peut-être ? Non merci !

— Ça y est ! J'ai été élu tête de Turc de la journée. Vas-y, défoule-toi ! Sors le méchant ! railla Mot.

— Et toi, Mot, qu'est-ce qui se passe dans ta cervelle ? s'enquit Mathilde.

— Moi ?

— Oui, toi ! Tu esquives toujours mes questions en me renvoyant une nouvelle question... Tu ne veux pas répondre ?

— Non, ce n'est pas ça.

— Alors qui es-tu, Mot, à part d'avoir des parents bizarres qui t'ont affligé d'un nom qui ne doit pas être prononcé... D'où viens-tu ? Que fais-tu ici ?

— Tu t'intéresses à moi, tout à coup ?

— Ah ha ! Voilà encore une question ! De toute évidence, tu es en fugue. C'est la DPJ qui te cherche ? La police ? Ou bien tu as des problèmes d'argent ? De drogue ? énuméra Mathilde, hilare en énonçant ce dernier mot.

— Quel excellent esprit de déduction ! répondit-il, cynique.

— Donc j'ai raison ?

— Pas vraiment…

Pour la troisième fois de la journée, Mot se figea. Il pâlit et crispa les mâchoires avant de bousculer Mathilde dans la forêt avoisinante. Il étouffa encore les protestations de la jeune fille et l'invita à se dissimuler derrière le tronc d'un gros chêne.

Mathilde risqua un œil vers la rue et y vit deux silhouettes floues arpenter le trottoir d'un pas déterminé. Lorsque la cadence des foulées s'atténua, Mathilde souffla :

— Explique-moi donc enfin qui sont ces types et ce qu'ils te veulent ?

Mot hésita.

— Euh… en fait, ce n'est pas moi qu'ils cherchent… C'est toi.

— Moi ? Ça n'a pas de sens ! Je n'ai pas de problème avec qui que ce soit ! Tu racontes n'importe quoi ! Je ne vois pas pourquoi…

— Parce que tu es importante.
— Importante ? Pour qui ? Pour toi ?
— Qu'est-ce que ça change ? Que tu sois importante pour n'importe qui, tu es importante quand même ! assura Mot, agacé.

Mathilde croisa les bras.

— Tu es l'être le plus pathétique que j'ai rencontré, Mot. Tu es un petit garçon perdu qui ne sait pas comment demander de l'aide, alors tu inventes toutes ces histoires pour que je reste avec toi... Si tu tiens absolument à demeurer collé à mes talons, viens ! lança-t-elle, ennuyée, en pivotant.
— Où vas-tu ?
— Je pique à travers le bois pour prendre un raccourci. De cette façon, tu ne risques pas de tomber sur tes *antagonistes*, et je doute que Xavier Beaumont se cache derrière un arbre pour me surprendre... Allez !

Dans une fosse, il y a de la vie

« Les gens sont incapables de parler des morts. Ça leur rappelle qu'ils peuvent mourir à tout moment. »

Kate Banks, *Ne fais pas de bruit*

Chassant du plat de la main les branches qui gênaient son passage, Mathilde gravit une butte. Ses chaussures prenaient un peu l'eau, mais elle ne s'en préoccupa pas, tourmentée par ses réflexions. Qui pouvait bien en avoir après elle ? Elle repassait le bottin entier de ses connaissances sans parvenir à identifier d'ennemi potentiel. Qui voudrait sa peau ? Pour la plupart des gens, elle était tout simplement transparente.

Elle maugréa. Comment Mot avait-il réussi à la troubler avec de telles âneries ? Et pourquoi y accordait-elle la moindre importance, d'ailleurs ?

La forêt s'éclaircit au sommet de la colline et ils se retrouvèrent à la limite du cimetière, dominant plusieurs rangées de pierres tombales. Sans se préoccuper de Mot, Mathilde dévala la pente, là où une petite pelle hydraulique était au repos près d'une fosse à moitié creusée, au fond de laquelle on avait placé une bâche.

S'arrêtant à côté de l'engin, la jeune fille se tourna vers son compagnon.

— Est-ce parce que je suis si importante que tu ne me laisses pas mourir en paix ?

— Eh bien, je ne peux pas t'en empêcher, si tu insistes ! Tu n'as qu'à essayer…

D'un geste théâtral, Mot désigna le trou dans le sol.

Interloquée, Mathilde fixa la cavité, puis le garçon. Elle retira son veston et décida, par pure provocation, de jouer le jeu. Et elle ne s'inquiétait pas de salir son uniforme de travail, puisqu'elle le jetterait dès qu'elle rentrerait à la maison… Si elle rentrait, bien entendu.

Elle s'étendit de tout son long sur la bâche dans la fosse, le menton relevé. D'un mouvement irrité de la main, elle chassa Mot de son champ de vision. Quand il disparut, elle observa le rectangle zébré de bleu qui se découpait au-dessus de sa tête. Le ciel se dégageait, ne laissant que des lambeaux de nuages gris traîner çà et là.

Elle tourna le regard et vit, dans les strates de glaise qui se dressaient autour d'elle, les vers de terre creuser, se débattre, lutter pour retrouver le froid réconfortant du sol. Elle n'en ressentit aucun dégoût, juste une profonde compassion. Cette terre était effectivement enveloppante, paisible.

Les fourmis s'entraidaient pour reconstruire l'aile de leur demeure détruite dans un éboulis. Quelques mille-pattes en profitaient pour humer une bouffée d'air frais au passage. Des cloportes pullulaient comme un banc de poissons argentés.

Ce qui vivait dans ce sol y mourait, puis y revivait et y remourait en un cycle continu, infini. Tous, incluant mammifères et insectes, acceptaient cet ordre des choses.

Elle, Mathilde, ressemblait à une erreur de la nature. Car les êtres naissaient avec un instinct de survie, pas un instinct de mort.

— Comment tu te sens ? demanda enfin Mot.

— Je me sens bien.

Après quelques minutes, cependant, elle commença à grelotter. Elle se recroquevilla, assise les genoux sous le menton. Le fond de ce trou n'était pas sa place non plus.

— Ce n'est pas vrai. Je ne suis *pas* bien.

Elle prit une poignée de terre et l'écrasa entre ses doigts.

— Ma vie est un désastre. Comme une série de clôtures que je n'arrive jamais à enjamber. J'ai un travail qui m'horripile, qui me fait aspirer à mes rares moments de liberté. Et lorsque je finis par me libérer, je dois prendre soin de ma mère qui me traite de menteuse et d'opportuniste. L'école n'est pas si mal, mais avec mon manque de talent véritable, je me dirige tout droit vers une carrière moche dans un bureau gris, devant un écran gris et un clavier gris. Alors qu'est-ce que ça donne, s'il n'y a jamais de place pour un peu de plaisir ? Si ma vie n'est qu'une succession de jours pénibles où je souhaite m'évaporer, me perdre dans le néant, arrêter d'exister... qu'est-ce que ça donne ?

Mot lui tournait le dos et observait au loin.

— Je te rappelle que tu as un nouveau boulot depuis ce matin...

— C'est temporaire. Je suis réaliste. Je sais que je ne travaillerai pas longtemps au Camélia. Et si je ne retourne pas vite aux études, je ne pourrai jamais me faire une vie. Une *vraie* vie.

— Et si tu l'obtenais, cette *vraie* vie, Matie ? Si tu avais ton gros boulot, une maison, un beau petit mari, deux point quelque enfants et un gazon vert, tu penses que ça t'apporterait un bonheur parfait et éternel ?

Mathilde demeura muette. Elle connaissait trop la réponse.

— Je ne suis pas certain qu'il existe des garanties prolongées pour tout ça, conclut-il.

Elle détestait l'admettre, pourtant il n'avait pas tort. Le bonheur ne s'obtenait pas en suivant les quinze étapes faciles dictées dans les nombreux bouquins de croissance personnelle qu'elle avait lus. Bien sûr, tout le monde voulait y croire – surtout elle – et ça faisait vendre des livres, mais les résultats n'étaient pas assurés tel que stipulé dans les instructions. Voilà sans doute pourquoi elle les avait mis de côté pour se rendre à la falaise.

— Qu'est-ce que tu connais au bonheur, Mot ? le relança-t-elle. À ton âge, les gars pensent que ça se résume à un orgasme de cinq secondes. Enfin, peut-être pas juste à ton âge...

Mot sourit, malicieux.

— Tu sais, Matie, peu importe le chemin que tu prends – ou que n'importe qui prend –, la vie, tu l'as dit, ça finit toujours mal pour tout le monde. Il n'y a pas de passe-droit ni d'issue différente pour personne... À part moi, ricana-t-il.

— Ah ! parce que tu es immortel, peut-être ?

— Disons que je considère que j'ai du temps. Pas mal de temps. Tu devrais voir ça de la même façon, Matie. Un gars comme Joe, par exemple, lui pourrait être déprimé de voir la fin approcher aussi vite. Pourtant, il est pas mal moins emmerdant que toi.

Mathilde soupira. Mot avait raison, elle s'emmerdait elle-même.

Elle scruta plus en détail l'anneau qui ornait l'arrière du survêtement de Mot. Il ne s'agissait pas d'un chiffre, mais plutôt d'un serpent enroulé qui se mordait la queue : le symbole de l'ouroboros.

— Un serpent, constata-t-elle tout haut. J'avais cru depuis le début que c'était un zéro...

— Ah, parce que tu me prends pour un gros nul ?

Faussement offusqué, le garçon lui lança un bloc de glaise. Avec un cri de protestation doublé d'un gloussement, elle riposta. Une voix rocailleuse interrompit leur querelle.

— Poussez-vous de là, les jeunes ! Les clients n'aiment pas trop ça qu'on joue dans les plates-bandes des morts.

Un homme d'une quarantaine d'années vint s'appuyer avec nonchalance sur la roue de la pelle hydraulique, une cigarette se consumant entre ses doigts jaunis. Mathilde émergea de la fosse, penaude, jusqu'à ce qu'elle reconnaisse le type. Elle crispa alors les poings.

Pour devenir l'homme d'affaires le plus prospère du coin, Steve Sansoucy avait racheté une coopérative régionale regroupant plusieurs maisons funéraires. Il l'avait bien vite transformée en machine à sous et il accumulait à présent des profits astronomiques. Ce qui dégoûtait Mathilde chez cet homme, ce n'était pas qu'il engrangeait de l'argent sur le dos des morts – tout le monde finissait par trépasser et quelqu'un devait bien exploiter ce filon –, mais plutôt le cynisme avec lequel il dirigeait sa société.

D'ailleurs, ni son habit griffé ni son manteau de daim hors de prix ne parvenaient à lui donner un air noble. Si certaines le considéraient attirant, Mathilde trouvait plutôt vulgaire son visage au nez busqué et aux lèvres pleines.

« Les maisons Sansoucy, en toute confiance », affichait la bannière comme slogan. Par chance, Steve Sansoucy était président et non lui-même directeur de pompes funèbres.

— Déjà que j'ai demandé au fossoyeur d'arrêter de creuser pendant l'enterrement qui va avoir lieu, poursuivit-il en toussotant. Le maire n'aimerait pas trop voir des profanateurs ici.

— Le maire ? s'enquit Mathilde, tandis que Mot l'aidait à sortir de la fosse.

— Ouais. Son fils a crevé la semaine dernière.

Sur la rue pavée qui traversait le cimetière, Mathilde distingua au loin un cortège de plusieurs voitures qui approchaient.

— Il est mort de quoi ? demanda Mot à son tour.

— Overdose de coke.

— Ce n'est pas ce que le journal disait, s'étonna Mathilde. L'article laissait plutôt entendre qu'il s'agissait d'un empoisonnement ou de quelque chose du genre.

— Eh bien, il y a des décès qui donnent une mauvaise image…

Le téléphone mobile de l'homme retentit dans une stridulation de criquet enragé. Steve répondit bêtement et hocha la tête à quelques reprises.

— Ouais, ouais… J'y vais. Repousse mon souper, je ne peux pas remettre ça, marmonna-t-il avant de refermer l'appareil d'un geste sec.

Il examina sa grosse montre argentée, sans doute aussi très dispendieuse. D'une pichenotte, il se débarrassa de son mégot qui atterrit au fond de la fosse, sous l'œil indigné de Mathilde. Puis il beugla :

— Allez ! Qu'est-ce que vous attendez ? Foutez le camp !

Avant de partir, elle remarqua avec un frisson de dégoût que Steve Sansoucy lorgnait son derrière du coin de l'œil, avec un sourire grivois. La jeune fille agrippa le bras de Mot et l'entraîna vers la sortie du cimetière. L'homme d'affaires repartit de son côté avec un rire moqueur qui se termina en toux grasse.

— C'est la personne qui me répugne le plus au monde ! maugréa Mathilde. Il flirte avec des filles de ma classe, et je pense même qu'il en entretient une ou deux. La rumeur dit aussi qu'il filme ses exploits sexuels…

— Probablement le genre de gars qui n'a aucun respect pour ses conquêtes non plus ! ajouta Mot.

À cette allusion, Mathilde grimaça.

— De toute façon, j'ai l'impression qu'à force de se ficher de la mort dans son travail il va finir par la recevoir en pleine gueule dans la réalité… Mot, tu penses qu'on récolte ce qu'on sème, toi ?

Le garçon haussa les épaules.

— J'aime le croire…

Étrangement, Mathilde fut réconfortée par cette réflexion. Tandis qu'elle franchissait une barrière métallique, Mot demanda :

— Tu as déjà compris pourquoi on clôture les cimetières ?

— Ça doit être pour préserver les lieux, j'imagine.

— Pourquoi ? Les morts ne peuvent pas en sortir, et les vivants redoutent d'y entrer… Que protège-t-on, au juste ?

Derrière eux, la rutilante Porsche de Steve Sansoucy souleva un nuage de poussière. Au-delà du portail de fer, une délégation de personnalités de la région suivait le maire, qui portait le cercueil de son fils avec ses proches.

Absorbée par ce triste défilé, Mathilde constata que Mot avait tourné les talons et se dirigeait vers le funérarium.

— Hé ! Où vas-tu ? s'enquit-elle en le rattrapant.

— J'ai un petit creux.

— Mais tu ne peux pas entrer là, voyons ! C'est un endroit de recueillement !

— Qui va savoir ? Ils ont autre chose à faire que de chercher des intrus...

Elle allait le retenir quand il passa le pas de la porte. Abandonnée sur le seuil, elle pesta, grognant son exaspération et tapant du pied. Elle ne pouvait quand même pas le laisser faire ! Comme elle hésitait, un couple de personnes âgées passèrent devant elle et lui tinrent le battant ouvert.

— Vous entrez, mademoiselle ?

Prise de court, elle hocha la tête, regrettant aussitôt. Ça y est ! Elle se rendait maintenant complice des imbécillités de Mot !

Vives funérailles

« Là où la vie brûle, la mort n'est vraiment rien. »

Alessandro Baricco, *Châteaux de la colère*

Une fois à l'intérieur, elle se faufila de son mieux dans le funérarium en évitant le préposé à l'accueil, occupé à recueillir les manteaux des nouveaux arrivants. Si elle se faisait prendre ici sans y avoir affaire, ce serait l'humiliation ultime !

À pas de louve, elle se rendit à la première salle. Un chevalet affichait le nom « Réal Tremblay ». Elle entrebâilla la porte et tendit le cou : seules quelques personnes priaient en silence devant un cercueil fermé. Le service ne semblait pas commencé et Mot n'était pas en vue. Elle referma et longea le mur vers la pièce suivante. La porte semblait verrouillée. Mathilde poussa un soupir. Où diable était passé ce garçon ?

Remarquant le couple âgé s'engager dans un escalier plus loin, la jeune fille le suivit. « La famille de Jean-Pierre Couture vous accueille », indiquait un tableau.

Là-haut, cependant, aucune chance de pouvoir se cacher ; l'immense salle à aire ouverte offrait bien peu de recoins pour se dissimuler. Par contre, une grande foule y était assemblée. Des gens de tous âges et de tous styles se regroupaient un peu partout pour parler, des enfants couraient dans le lot, quelques-uns pleuraient, d'autres riaient, plusieurs discutaient. Surprise, Mathilde se demandait si elle assistait bien à des funérailles ou à une fête. Ses yeux se portèrent vers le cercueil, ouvert sur un vieil homme à l'air serein.

Elle fut tirée de sa contemplation quand, près d'elle, deux hommes poussèrent une exclamation en chœur.

— Comment vas-tu ? Ça fait une éternité que je t'ai vu !

— Ah, que je suis content de te voir !

Ils se firent une chaleureuse accolade en se tapotant amicalement le dos.

— Tu as l'air bien ! J'ai entendu dire que ta femme attend un autre bébé... Félicitations !

— Ouais... ça fera quatre avec celui-là ! Et toi, comment se porte le commerce ?

Plus loin, un petit groupe de femmes éclatèrent de rire et certaines essuyèrent les larmes aux coins de leurs yeux.

— J'ai tellement de bons souvenirs de l'été que nous avions passé au bord du lac avec les cousins ! Jean-Pierre sortait toujours sa guitare autour du feu, le soir...

— Avec les guimauves et les saucisses sur les braises...

— ... et ton frère qui avait mis une grenouille dans mon verre de jus !

La cascade de rires se poursuivit.

Mathilde sourcilla, songeuse. Même si l'ambiance était mélancolique, tous semblaient déterminés à faire revivre les bons moments, se remémorant le défunt, mais aussi tout ce qui gravitait autour de lui.

La jeune fille se demanda alors à quoi ressemblerait son propre enterrement. Pas à celui-là, en tout cas...

Qui aurait de bons souvenirs à raconter à son sujet ?

Sa mère ne serait probablement pas en état de se présenter. Absent de sa vie depuis des lustres, son père ne la connaissait même plus, il n'aurait rien à dire sur elle... Elle avait sans doute des cousines qui se souvenaient d'elle, et Anne, sa marraine, gardait le contact et lui téléphonait de temps en temps pour prendre des nouvelles. Elle lui envoyait toujours un généreux cadeau en argent à son anniversaire ; elle lui avait même offert une chambre si Mathilde décidait de poursuivre ses études dans la métropole. Et ses amis... Elle en comptait peu et n'était proche de personne en particulier. Somme toute, cela dressait un bien piètre portrait de son entourage.

Avec un soupir, elle continua de balayer la salle des yeux jusqu'à ce qu'elle repère Mot devant la table de buffet, à s'empiffrer de canapés et à ingurgiter du café gratuit. Ce garçon n'avait vraiment aucun scrupule ! Se vautrer d'une telle façon durant une cérémonie funéraire !

À ce moment, une main se posa sur l'épaule de Mathilde. Le sang de la jeune fille ne fit qu'un tour. Terrifiée, elle déglutit et pivota. L'index sur les lèvres, un jeune homme lui fit signe de se taire et l'attira à l'écart.

— Toi non plus, tu ne sais pas où te mettre ?

Ignorant comment répondre à cette question, elle se contenta de le détailler du coin de l'œil. De taille moyenne, il était plutôt mignon – peut-être même plus que ça –, avec ses cheveux bruns en bataille et ses grands yeux verts qui la fixaient d'un air suppliant.

— Je suis revenu de la ville pour l'enterrement de mon grand-oncle, mais j'avoue que ça implique autre chose dont j'avais moins envie...

— Je... Jean-Pierre était ton grand-oncle ? bafouilla-t-elle, tentant de jouer le jeu.

— Oui. L'oncle de mon père... et le seul qui me comprenait vraiment de ce côté de la famille.

— Ah ?

— Mon père se demande encore pourquoi je suis parti étudier en histoire à l'université au lieu de travailler à l'usine avec lui... Et il ne s'explique pas qu'à mon âge je ne sois pas encore en couple avec deux enfants comme lui, il l'était !

— Oh ! Ce n'est pas très réjouissant comme programme, acquiesça-t-elle.

— Jean-Pierre savait me défendre et m'encourageait à continuer mes études... Mais là, je me retrouve seul pour me justifier. Et j'ai peur que mon père en profite pour me démoraliser. Ah ! Je m'excuse ! Je suis en train de t'assommer avec mes problèmes ! Et toi, tu es la fille de... ?

— De... d'un ami de Jean-Pierre, s'empressa-t-elle de dire, sentant la panique poindre de nouveau.

— Et tu détestes les enterrements, n'est-ce pas ?

— Eh bien ! pour être franche, c'est mon premier, et je ne savais pas du tout à quoi m'attendre.

— Tu paraissais légèrement effrayée quand je t'ai aperçue... Presque autant que moi !

Mathilde sourit.

— Peu de gens aiment côtoyer la mort, admit-elle. Surtout que... Jean-Pierre n'était pas si vieux. Qu'est-il arrivé au juste ?

— Crise cardiaque en fin de soirée. Il est décédé dans les bras de sa femme… Il avait soixante-treize ans.

— Oh ! Comme c'est triste !

— Ouais. Il est parti beaucoup trop tôt. Et je n'arrête pas de penser que si j'avais su…

Il émit un ricanement sec.

— Mais ce n'est plus le temps de regretter. On dit toujours qu'il faut profiter des gens pendant qu'ils sont là, et même si c'est un vieux cliché, c'est vrai pareil.

Mathilde hocha la tête avec compassion.

— En passant, moi, c'est Loïc.

— Enchantée. Mathilde, dit-elle en serrant la main tendue du jeune homme.

— Et quelle est ton histoire, Mathilde ?

Elle aimait bien le son de son prénom murmuré par ce garçon. Elle haussa les épaules.

— Pas grand-chose d'intéressant. Je suis emprisonnée dans cette ville reculée et j'ai dû lâcher le cégep pour travailler.

— Oh ! Et quel programme t'inté…

— Loïc !

Le jeune homme bondit sur pied. Un grand homme costaud, version plus vieille et plus rude de Loïc, fendit la foule jusqu'à lui.

— Depuis quand es-tu arrivé de la ville, mon garçon ?

Il le souleva presque de terre en l'étreignant.

— Euh... Mathilde, voici mon père, présenta Loïc, gêné.

L'homme prit la main de la jeune fille dans la sienne, énorme, façonnée par des années de travail manuel.

— C'est ta copine, mon garçon ? s'exclama le père avec enthousiasme. Tu ne m'avais pas dit que tu en avais une ! Et un beau petit brin de femme, en plus ! Pourquoi m'avais-tu caché la nouvelle ?

Loïc lança un air affolé à Mathilde. Celle-ci décida de jouer le jeu. La séance d'improvisation l'avait bien réchauffée.

— Contente de vous rencontrer, monsieur ! Loïc et moi étudions ensemble en histoire, déclara-t-elle. C'est le plus doué de la cohorte et il m'aide sans cesse avec ma révision et mes travaux. Et je peux vous assurer que, de nous tous, c'est lui qui a les meilleures perspectives d'avenir !

— Ah... oui ? s'étonna le père.

Loïc la fixait, bouche bée. Le père jeta un regard aussi surpris qu'admiratif en direction de son fils.

— Viens, mon garçon, je voudrais te présenter à un vieil ami d'école...

Tandis que son père l'entraînait dans la foule, le bras passé fièrement autour du cou de Loïc, Mathilde sourit sans toutefois les suivre. Elle avait accompli une bonne action… tout en faisant une parfaite Mot d'elle-même !

Elle se fraya un chemin dans la cohue et retrouva son compagnon, une assiette de victuailles à la main, en compagnie de la veuve et de plusieurs femmes qui la consolaient. Il avait même eu le front de rencontrer l'épouse du défunt !

— … je pense quand même qu'il a eu la plus belle mort qu'on peut souhaiter.

Perplexe, la veuve le regarda, indignée.

— Oh ! Tu ne le réalises peut-être pas, jeune homme, mais Jean-Pierre était encore dans la force de l'âge !

— Je sais, et c'est le plus triste. Mais il n'a pas souffert, il ne s'est rendu compte de rien et il a rendu son dernier souffle dans les bras de la personne qu'il aimait le plus… vous ! C'est la meilleure façon de partir !

— Ce n'est pas faux, sourit la veuve à travers ses larmes.

— D'ailleurs, il semble avoir accompli pas mal de belles choses et il était aimé de tout le monde ; c'est beaucoup mieux que la majorité des gens.

La veuve posa la main sur l'épaule de Mot avec un petit éclat de rire.

— Tu es bien philosophe pour un garçon de ton âge ! J'aime bien ta façon de voir les choses !

Quelqu'un vint chuchoter quelque chose à l'oreille de la veuve. Celle-ci hocha la tête avant de s'excuser auprès de Mot.

— Tu salueras ta mère pour moi, mon cher. Je te quitte… La cérémonie doit commencer bientôt.

Mot lui sourit et engouffra le reste de sa nourriture avant de tourner les talons. Il laissa son assiette vide sur le coin d'une table et agrippa Mathilde par le coude.

— Viens, c'est le temps de partir.

Soulagée d'enfin quitter les obsèques, Mathilde ne se fit pas prier et le suivit en bas des escaliers.

— Ta mère connaissait vraiment cette femme ? demanda-t-elle naïvement.

Mot lui jeta un œil moqueur ; de toute évidence, il avait habilement échafaudé une histoire pour justifier sa présence. Mathilde secoua la tête avec exaspération.

— N'as-tu pas honte de jouer avec les sentiments de ces personnes qui sont déjà éplorées par la mort brutale de cet homme ?

— Ce qu'ils ne savent pas ne leur fait pas mal. Et toi, pourquoi t'es-tu pointée ?

— Pour t'empêcher de faire des gaffes !

— Donc tu t'inquiètes pour moi ? déduisit-il avec un sourire de loup.

La jeune femme poussa un grognement de rage.

— Mathilde !

Elle se tourna et vit Loïc arriver en courant.

— Tu t'en vas déjà ? demanda-t-il.

— Euh... oui. Mon ami ne supporte pas les funérailles, lâcha-t-elle en dardant un regard accusateur vers Mot.

— Eh bien... est-ce que tu voudrais... je ne sais pas... poursuivre notre conversation, un jour ? s'enquit-il.

Surprise par cette requête, elle rougit.

— Tu sais, j'habite ici et pas dans la métropole...

— Je reviens souvent pour visiter la famille, alors je pourrais peut-être t'appeler ?

Elle détourna les yeux.

— C'est un peu compliqué pour m'appeler, admit-elle à regret.

— Elle travaillera à l'Hôtel Camélia à partir de la semaine prochaine ; tu pourras donc la joindre là-bas, intervint Mot. Allez ! Viens, Mathilde... Et toi, retourne à la cérémonie.

Tandis que son compagnon l'attirait à l'extérieur, Mathilde salua Loïc d'un geste de la main. Venait-il vraiment de lui proposer un rendez-vous ?

— Il a dû me trouver impolie de partir comme ça, regretta Mathilde, encore abasourdie.

Toutefois, elle ne tenait pas à assister aux funérailles d'un homme qu'elle ne connaissait pas en compagnie de sa famille.

— Il ne t'en désirera que plus ! ricana Mot. Tu es la femme mystérieuse qu'il a aperçue à travers une pièce bondée ; il ne t'oubliera pas de sitôt !

— Comment fais-tu pour prononcer autant d'absurdités, Mot ?

Mathilde et Mot empruntèrent la rue principale, où les voitures s'entassaient dans le trafic. La fin de semaine se pointait et le ronron des moteurs semblait soupirer d'aise, les conducteurs étant impatients de se rendre à la maison et de profiter de ce répit.

Malgré elle, Mathilde eut un sourire amer. En ce début de soirée qui ponctuait une journée parsemée de péripéties, elle se retrouvait pourtant face à la même réalité que ce matin. Au moins, elle avait déniché un nouvel emploi, elle avait été invitée à une fête le lendemain, et un garçon mignon et intéressant souhaitait la revoir. Malgré tout, elle ne voulait toujours pas rentrer à la maison.

Ça demeurait une cage pour elle. Une cage qui se refermait comme un étau, où les barreaux s'ornaient de pointes qui menaçaient de la transpercer, où elle tournait en rond, angoissée. Elle désirait à tout prix retarder cette pénible torture qui se répétait inlassablement chaque jour.

— Tiens, Matie, regarde qui est là ! lança Mot pour la délivrer de sa torpeur.

Elle sursauta vivement lorsqu'elle vit Bruno, son ex, se diriger vers elle.

— Oh non ! souffla-t-elle.

Le fil barbelé sur son cœur se resserra encore d'un cran et elle porta ses mains tremblantes à sa poitrine qui palpitait. Tout allait si bien quelques instants plus tôt !

— Est-ce que tu me suis, Mathilde ? grogna Bruno.

— Euh... non ! Absolument pas !

Mathilde baissa le nez, troublée.

— Parce que quoi que tu fasses, c'est fini entre nous ! Accepte-le !

— Mais je n'ai...

— Déjà que, à cause de ce que ton petit copain ici lui a dit ce matin, Julianne a refusé de manger avec moi ce soir...

— Elle n'avait peut-être plus faim, après toutes ces pâtisseries, railla Mot.

Bruno attrapa le garçon par le collet. Mot releva le menton, le défiant de son air bravache.

Mathilde, elle, déglutit. Elle risqua un regard en direction de celui qui incarnait son amoureux seulement quelques semaines auparavant. Il était encore beau, avec ses larges épaules et sa mâchoire très carrée d'homme prématuré. Cependant, il avait la mentalité d'un homme préhistorique.

Soudain, Mathilde surmonta sa peur et se mit à le mépriser, à détester ce qu'il lui faisait subir, ce qu'il faisait d'elle. Avait-il déjà été gentil ou n'avait-il jamais cessé de profiter d'elle, de siphonner son estime d'elle-même ? Elle croyait au début qu'il apporterait de la lumière dans sa vie ; et s'il était un ogre qui, au contraire, l'écrasait sous le poids de sa grandiloquence, puis l'enfonçait dans l'obscurité ?

Elle répliqua :

— Peut-être que Julianne n'est pas restée avec toi à cause de la façon dont tu la traites !

Bruno parut étonné qu'elle réponde.

— Pardon ? rugit-il.

— Peut-être qu'elle n'aime pas être forcée à faire des choses dont elle n'a pas envie !

Malgré le trémolo qui le teintait, le ton de Mathilde montait, et Bruno jeta un œil inquiet autour de lui, mal à l'aise.

— Es-tu en train d'insinuer que je te malmenais ?

— Eh bien, tes méthodes brutales ne sont pas exactement un traitement de faveur ! explosa-t-elle.

Cette fois, elle avait hurlé. Des passants observaient, hébétés, leur dispute. Pour se donner une contenance, Bruno secoua la tête et pouffa.

— Ce n'est pas de ma faute si tu es frigide, Mathilde Poisson…

— Et toi, qu'est-ce que tu es, gros dégueulasse ? Tu n'as aucun respect ! Tu es malade ! Les filles ne sont pas des objets de plaisir mis à ta disposition !

Bruno rougit violemment. Il n'aurait jamais cru qu'elle irait si loin.

— Je… je n'ai pas fini avec toi, Mathilde ! bredouilla-t-il pour tenter de se reprendre, mais ne trouvant aucun autre argument valable, il s'enfuit d'un pas hardi.

— C'est gênant de se promener la braguette ouverte, hein, mon vieux ? lança Mot, les mains en porte-voix.

Mathilde avait débité si vite ses dernières paroles qu'elle était plus essoufflée qu'un boxeur après un round intense. Les jambes en coton, elle faillit s'effondrer. Mot la soutint.

— Et vlan dans les dents ! Bravo ! Tu apprends vite, Matie ! ricana-t-il.

La jeune fille gloussa nerveusement.

— Ce… ça fait du bien !

Elle frémissait de partout, consciente qu'elle venait d'assener un coup fatal à un adversaire de taille. Elle s'appuya contre la façade d'un magasin afin de reprendre ses esprits.

Voilà. Elle l'avait dit. Elle avait craché le morceau pris en travers de sa gorge depuis la fin de leur relation. En l'avouant, elle prenait aussi conscience du vrai problème. Et elle n'en était pas la source.

Bruno n'avait aucun sentiment pour elle ; seul comptait son propre plaisir.

La première fois qu'il l'avait brusquement retournée sur le ventre, elle était demeurée médusée. Elle avait tenté de le repousser d'une main, mais il retenait ses hanches. Elle avait étouffé un sanglot dans l'oreiller. Elle avait enduré, pleurant en silence.

Lorsqu'elle avait essayé de lui en glisser un mot, de lui expliquer qu'elle se sentait dégradée, qu'elle n'aimait pas *ça* et qu'elle souffrait, il avait répondu que tout le monde faisait *ça* et qu'elle se montrait trop puritaine, une vraie sainte-nitouche. Il ne s'était pas excusé, n'avait pas cherché à comprendre ni à la rassurer. Une semaine plus tard, quand elle avait refusé ce traitement, il avait rompu et était passé à la prochaine candidate…

Pauvre Julianne. Savait-elle à présent que Bruno était beaucoup moins beau que sa façade ne le laissait paraître ?

— C'est vrai qu'il te maltraitait ? s'enquit Mot.

— Oui, avoua-t-elle. Il a rompu le jour où j'ai dit non…

— Beurk ! grimaça Mot. Avoir su, ce matin, je ne l'aurais pas seulement empêtré dans ses lacets, je l'aurais forcé à avaler sa fourchette !

Mathilde s'esclaffa.

— Merci, Mot.

— Quoi ? Qu'est-ce que j'entends ? Je suis certain d'avoir mal saisi…

La jeune fille soupira, puis admit :

— C'est sincère. Merci. J'aurais été incapable de l'affronter si tu n'avais pas été là.

— Enfin, tu reconnais mes talents !

— Je ne crois pas que semer la zizanie est un talent…

— Peu importe ! J'ai faim ! On va manger ?

— Où mets-tu toute cette bouffe ? Tu es maigre comme un clou ! J'y vais à condition que tu ingères autre chose que des canapés et du dessert !

— C'est bon, mère ! J'avalerai mes fibres et mes légumes ! assura-t-il en offrant son bras, que Mathilde accepta dans un éclat de rire.

Comme la douleur mène au désespoir

« Vous avez raté votre vie ?
Avec nous, vous réussirez votre mort ! »
Slogan de la boutique.

Jean TEULÉ, *Le magasin des suicides*

Mot arrêta son choix sur un restaurant indien qui se vantait de proposer la plus imposante gamme de currys des environs. Évidemment, Mot voulut goûter à tous les plats au menu : tandoori, korma, rogan josh, Madras, de même que le redoutable vindaloo. Mathilde en conclut que Mot devait être un démon tout droit sorti de l'enfer pour supporter sans broncher ce mariage d'épices qui brûlaient les papilles.

Pendant que Mot s'extasiait devant chaque nouvelle saveur, Mathilde porta le regard vers l'extérieur, pensive. Son combat de tête forte contre Bruno lui avait laissé une commotion cérébrale émotive, le cerveau transformé en bouillie comme des œufs brouillés. Mais elle se sentait plus légère qu'une plume. Elle avait traîné sa honte durant les dernières semaines. Maintenant, elle était libérée de ce fardeau.

De sa place, elle voyait l'épicerie Beaumont. Le va-et-vient lui rappelait qu'elle devait travailler ce soir. Xavier ne semblait pas être sur le plancher non plus.

Elle songea que, malgré tout, certaines parties de ce boulot lui manqueraient. Elle aimait bien construire de savantes pyramides de fruits, admirer ces étals de couleurs et se délecter des odeurs qui accompagnaient chacune des saisons. Les fraises de juin, les pêches de juillet, le maïs d'août, les pommes de septembre, les clémentines de Noël... Le cycle qui se répétait encore et encore, réconfortant.

D'ailleurs, le quotidien à l'épicerie n'avait pas toujours été si difficile. Même avec Xavier.

Car il savait être drôle. Au début, il jonglait avec les fruits, il apportait parfois sa guitare qu'il grattait pendant les pauses, fredonnant des chansons de sa voix veloutée. Mathilde appréciait même son humour fin, subtil, toujours réfléchi. Jusqu'à ce que son poste lui donne trop d'importance. Il avait progressivement changé de personnalité, devenant plutôt caustique et narquois, oubliant les petites folies et la musique. Les grandes responsabilités lui avaient sans doute enflé la tête.

En y repensant, elle était bien fière d'avoir eu le courage de quitter l'épicerie ce matin. En fait, on ne pouvait qualifier cela de courage, plutôt de trop-plein. Le vase avait débordé, la digue avait cédé, l'abcès avait crevé.

Et malgré sa détermination en matinée, elle ne s'était pas rendue au bout de sa volonté. L'événement marquant qu'elle souhaitait n'avait pas eu lieu.

Regrettait-elle à présent d'être encore là à y réfléchir ? Elle fixa ses poignets. Chaque fois qu'elle obtenait un sursis, le chagrin ne tardait pas à revenir. Au galop. Le soulagement ne durait jamais.

Pour l'instant, elle se contenta de mettre en cause l'assaisonnement du poulet tikka pour justifier son reflux gastrique.

Une ombre passa devant la vitrine du restaurant. Mathilde n'y porta pas attention, mais Mot lança sa serviette de table au milieu des assiettes vides.

— Waouh ! Quel festin !

Son sourire ne se rendait pas jusqu'à ses yeux. Mathilde se demandait bien quelle mouche l'avait piqué. Ce devait encore être ces histoires des deux types qui la pourchassaient... Et qu'est-ce que ça faisait de Mot? Son protecteur, peut-être?

Elle gloussa. Ouais. Un garçon dont le menton arborait à peine quelques poils soyeux. Elle commençait tout de même à s'habituer à lui et à son énigmatique mode de pensée.

L'addition payée, ils sortirent. La noirceur s'emparait doucement de la petite ville tranquille. L'air devint froid et moite. Mathilde s'enlaça pour se réchauffer.

— Où va-t-on maintenant? s'enquit Mot.

— Il se fait tard... As-tu un endroit où passer la nuit? lui demanda Mathilde.

— Non.

— Tu devrais commencer à y songer sérieusement!

— Je croyais que je pourrais aller chez toi.

— Voyons! Il n'en est absolument pas question! Qu'est-ce qui a bien pu te faire penser ça?

— Mon intuition...

— Oublie ça! Ma mère n'admet personne dans notre appartement, surtout pas un étranger!

Mot saisit le bras de Mathilde et consulta l'heure.

— J'ai encore le temps de me trouver une place pour dormir… Je ne suis pas un couche-tôt, de toute façon.

D'un geste sec, il retourna la main de Mathilde, repoussa le bracelet de sa montre et scruta les cicatrices qui zébraient le poignet.

— Tu es une persévérante, Matie…

La jeune fille se dégagea de sa prise et tira la manche de son veston par-dessus ces horribles marques.

— Ce n'est pas de tes affaires.

— Combien de fois ?

— Juste deux, mentit-elle.

En comptant sa tentative de ce matin, cela avoisinait plutôt les quatre ou cinq fois… Peut-être six, si elle comptait le jour, à l'école primaire, où on l'avait trouvée enfermée dans son casier avec les longs ciseaux dérobés au professeur. C'était à l'époque où son père les avait quittées, elle et sa mère. Elle venait de réaliser qu'il ne reviendrait pas. Oh, elle n'aurait pas pu vraiment se blesser avec ces pointes émoussées, mais l'intention était là.

Sans compter le nombre de scénarios où elle avait fantasmé de succomber avec succès. Encore une chose qu'elle semblait incapable de réussir. Plutôt nul de rater quelque chose d'aussi important !

Mot ricana ; lui n'était pas dupe. Il devinait tout dès le premier coup d'œil.

Ce garçon l'irritait au dernier degré avec son air de fin finaud. Pourtant, Mathilde ne se pressait pas pour le quitter.

— Et toi qui es si parfait, n'y as-tu jamais pensé ? demanda Mathilde.

— Toujours. Chaque jour, chaque heure, chaque minute…

Mot s'apprêtait encore à théoriser quand Mathilde repéra, de l'autre côté de la rue, Xavier Beaumont qui traversait.

Sans attendre, elle entraîna Mot dans la ruelle la plus proche. Elle ne se sentait pas d'attaque pour deux confrontations musclées dans une même journée. Si elle avait facilement trouvé la réplique assassine pour Bruno, elle n'aurait sans doute pas l'énergie d'envoyer Xavier au tapis. Ce nouvel adversaire se révélait beaucoup plus vif et implacable que son prédécesseur.

Puisqu'elle ne savait pas où son ennemi juré se dirigeait, elle ne prit pas le risque de revenir vers la rue et décida de passer par le fond de l'allée.

— Non ! Pas là ! s'exclama Mot.

Mathilde ignora cette mise en garde.

— Mêle-toi de tes oignons !

D'un pas pressé, elle s'engagea dans le dédale de petites voies sinueuses qui reliaient l'arrière des magasins du centre-ville, véritable monde parallèle sombre qui contrastait avec les façades léchées et soignées de la rue principale.

Le visage grave, Mot lui agrippa le bras. Elle fronça les sourcils. Quelque chose ne tournait pas rond. Mot ne riait plus.

Elle suivit son regard alors qu'une silhouette imposante surgissait de la pénombre. Mathilde hoqueta de surprise.

Il s'agissait d'un homme d'un âge indéterminé. Il portait des vêtements en loques, couturés et rapiécés avec des épingles. Sous un long mohawk noir, son visage sale était tatoué de symboles étranges. L'arrête de son nez de même que ses pommettes et ses sourcils s'ornaient de perçages.

Les yeux rouges, parcourus de veinules, l'homme esquissa un sourire de carnassier.

— Enfin, siffla-t-il.

L'estomac de Mathilde se retourna. Avec un petit cri de terreur, elle remarqua que l'individu serrait un poignard dans sa main gauche.

— Combien de temps pensais-tu te défiler ?

Mot ramassa le manche d'un vieux balai qui traînait près de la porte de secours d'un commerce et le brandit devant lui comme une arme.

— Sauve-toi, Matie ! lâcha-t-il en la repoussant de son bras libre.

— Je... je ne vais quand même pas te laisser ! bégaya-t-elle.

— Va-t-en ! T'inquiète pas, la douleur ne peut rien contre moi, susurra Mot en reprenant son air frondeur.

— À nous deux, faucheur, rétorqua l'intrus.

Paniquée, Mathilde tourna les talons et déguerpit aussitôt que le combat s'amorça. Elle devait trouver de l'aide ! Mot n'était qu'un garçon, comment se défendrait-il contre un monstre pareil ? Par-dessus son épaule, elle percevait les cris et les grognements provoqués par la bataille. Les larmes lui embrouillèrent la vue.

Le bout de la ruelle restait désert. Elle bifurqua dans un embranchement qui menait à la rue principale ; elle irait demander un coup de main à Xavier si nécessaire !

Au tournant, cependant, quelqu'un l'attrapa et la repoussa contre le mur. Il la força à se taire en lui plaquant une main poisseuse sur la bouche. Mathilde reconnut alors l'itinérant qui avait perturbé leur repas à L'Élysée.

— Il essaie de te convaincre de rester, hein ? Il te montre que tout est beau et que ça va changer, non ? Ce petit salaud m'a laissé ici, et voilà à quoi j'en suis réduit ! J'aurais pu me payer une sortie dans la dignité, et là je suis tombé plus bas que jamais ! C'est pour cette raison – et bien d'autres – que je l'ai vendu. Maintenant qu'ils le tiennent entre leurs griffes, ils vont bien s'en occuper…

Mathilde protestait, tentant de se débattre, incommodée par l'odeur écœurante qui émanait de l'individu.

— Écoute-moi bien, fille ! L'occasion ne se représentera peut-être pas… Tiens-lui tête ! Vas-y, fais ce que tu as à faire ! Tu seras délivrée…

Elle lui assena un violent coup de pied entre les jambes. Avec un gémissement, il s'effondra sur le sol et la jeune fille en profita pour s'enfuir. Elle entra par la première porte qu'elle croisa et s'engouffra dans la cage d'un escalier de métal reliant plusieurs étages. Là, elle perçut l'écho de la musique rugissante d'un bar. Elle grimpa les marches quatre à quatre jusqu'à ce qu'elle atteigne la boîte de nuit.

En franchissant le seuil, elle fut aveuglée par les stroboscopes qui clignotaient. Désorientée, elle suivit le long couloir où se succédaient l'arrière-boutique et les toilettes, puis déboucha sur une grande salle bondée. Dans cette obscurité entrecoupée de flashes étourdissants, elle ne distinguait que des contours.

Elle fendit la foule, cherchant du regard un portier ou quelqu'un pour lui venir en aide.

— Salut, lui souffla un jeune homme.

Elle se tourna et cilla, sans le reconnaître.

— Hé, ça va ? Tu n'as pas l'air bien…

— Il… il y a une bataille sanglante dans la ruelle ! Vite ! Il faut avertir quelqu'un !

— Je m'en charge, je connais le gars de la sécurité, répondit l'inconnu, affable.

Il s'effaça un instant pour aller parler au portier. Lorsqu'il retrouva Mathilde, la jeune fille s'était affalée sur un banc, encore sous le choc. Devait-elle retourner dans la ruelle ? Comment se portait Mot ? L'idée qu'il lui soit arrivé du mal la fit frissonner.

— Ils ont envoyé quelqu'un voir, enchaîna le jeune homme. Et toi ? Tu sembles ébranlée…

— J… j'ai été attaquée ! Mais ça va, je ne suis pas blessée…

— Tu as besoin de te détendre. Je te paie un verre.

Reconnaissante, Mathilde leva les yeux. Elle constata que celui qui l'avait aidée possédait un charme singulier. Les cheveux foncés et le teint pâle, il était doté d'yeux perçants, d'une couleur métallique. Même dans ce vacarme sa voix paraissait suave, avec des intonations un peu rauques, apaisantes.

Quand le portier réapparut, Mathilde s'enquit immédiatement de la situation auprès de lui. Celui-ci lui assura qu'il avait arpenté plus d'une fois l'allée à l'arrière de l'édifice et qu'il n'avait rien remarqué. Rien ni personne. Il y avait bel et bien un peu de sang frais sur le bitume, mais pas d'adolescent blessé en vue.

Affolée, Mathilde se réfugia dans la toilette des dames. Où se trouvait Mot ? Était-il parvenu à s'échapper ou avait-il succombé ? Il n'avait quand même pas pu vaincre son adversaire ! Et elle, que devenait-elle ? Elle n'osait pas s'aventurer dehors craignant de tomber sur cet itinérant fou qui racontait des bêtises.

Pouvait-elle demeurer là ? Le sans-abri était-il en mesure de la traquer dans ce bar ? Elle devait se fondre dans la masse, du moins pour quelque temps.

Elle retira – enfin ! – son ridicule polo de l'épicerie Beaumont et l'enfouit avec satisfaction dans la poubelle. Avec la camisole noire qu'elle portait dessous et son veston aux plumes de paon, cela pouvait presque passer pour une tenue de soirée. Elle remonta ses boucles brunes au sommet de sa tête à l'aide d'un élastique qu'elle gardait dans la poche de son pantalon et se pinça les joues afin de les rosir. Ce n'était pas une métamorphose miraculeuse, néanmoins elle serait mieux camouflée de cette façon.

Discrète, elle émergea de la salle de bain et se fondit dans la foule. Le jeune homme qui l'avait accueillie plus tôt la rattrapa.

— Ça va mieux ?

Mathilde hocha la tête, timide. Il déposa un verre entre les doigts de la jeune fille. Surprise, elle le dévisagea.

— Voilà qui pourra peut-être t'aider à te remettre, dit-il.

Pourquoi ce gars lui adressait-il un second regard ? Il n'était pas du type à s'intéresser à une fille comme elle. Un peu trop bien mis. Pas du genre charitable non plus, plutôt égocentrique. Et peut-être qu'elle le jugeait trop vite. Elle sourcilla et lui exprima un bref merci.

— Je ne t'ai jamais vue ici, affirma-t-il.

— Je suis arrivée un peu par accident, admit-elle.

Il sourit. Un drôle de sourire doublé d'un air entendu.

Mathilde sonda la pièce, toujours préoccupée par le sort de Mot. Quand serait-il sécuritaire pour elle de sortir ? Le retrouverait-elle ?

Seulement, elle ne se décidait pas, subjuguée par le garçon à ses côtés. Elle ne comprenait pas pourquoi celui-ci l'enveloppait de son regard enjôleur, mais elle le laissa exercer son jeu de séduction.

Puis Mathilde se mit à parler, parler, parler sans trop se rendre compte de ce qu'elle disait. Son compagnon écouta sa confession, attentif, la tête inclinée. Cette étrange journée semblait avoir eu raison de la réserve habituelle de Mathilde. Ses pensées s'embrouillaient, pourtant elle s'était rarement si bien sentie. Était-ce à cause de la boisson qu'il lui avait offerte ? Lorsque son cavalier lui caressa la nuque, elle frémit, droguée par ses sens en émois. Chaque parcelle de son âme semblait en éveil.

Il lui susurra qu'il allait chercher d'autres cocktails et elle l'attendit, patiemment, étrangère au tapage autour d'elle. À ce moment, Mot fit son apparition. Mathilde ne se demanda pas comment il avait fait pour entrer – lui qui était beaucoup trop jeune pour être admis – et se jeta à son cou.

— Quel accueil ! ricana-t-il.

— Mot ! Tu t'en es sorti ?

Elle se recula pour l'examiner. Son survêtement d'ordinaire immaculé portait les traces d'éclaboussures sombres.

— Du sang ? s'alarma-t-elle.

— Pas le mien, se vanta-t-il. Mais ça m'emmerde quand même, c'était mon gilet préféré…

Mathilde roula des yeux exaspérés.

— Tu es incorrigible ! Sans blague, j'étais vraiment inquiète !

— Dis, c'est pour moi que tu t'es pomponnée ? remarqua Mot.

La jeune fille porta les mains à ses joues, contrite.

— Euh… non, c'est pour lui, railla-t-elle en désignant le jeune homme appuyé au bar.

Les yeux de Mot s'assombrirent.

— Tiens-toi loin de lui, recommanda-t-il en l'empoignant pour la mener à l'écart.

— Pourquoi ? Il a été le premier à m'aider quand j'ai franchi le pas de la porte !

— Il n'est pas ce qu'il semble être !

— Comme si j'allais me fier à toi ! rétorqua-t-elle en se dégageant.

— Mathilde ! Tu ne comprends pas ! Ce gars, c'est le désespoir en personne ! tenta-t-il d'une voix cassante.

La jeune fille le plaqua au milieu de la piste de danse et, armée d'une nouvelle confiance, rejoignit son nouveau compagnon qui lui enlaça les épaules. Mot serra les mâchoires et les poings. Quant à Mathilde, elle ignora l'immature besoin d'attention du garçon et se laissa entraîner par l'ambiance de fête.

Le club des laissés-pour-compte

« La vie est une maladie mortelle
sexuellement transmissible. »

Woody ALLEN
(Lu sur la porte du cabinet de toilette d'un club)

Attablée au bar, Mathilde dégustait son énième cocktail. L'œil morne, l'esprit ailleurs, elle observait le rituel de séduction de son compagnon. Il semblait très populaire : son charisme attirait une foule d'admirateurs, surtout de filles, qui affluaient sans cesse vers lui.

Puis, sans qu'elle s'y attende, une voix lui murmura à l'oreille :

— Tu ne devais pas travailler, ce soir ?

Mathilde faillit s'étouffer. Elle avait toujours cette réaction lorsque résonnait ce ton réprobateur. Déconcertée, elle pivota vers Xavier. Il n'affichait pas son habituelle mauvaise humeur. Au contraire, il souriait, un brin moqueur.

La gorge nouée, elle ne répondit pas et lui tourna le dos. Elle espérait qu'il allait repartir par où il était venu. Mais il insista.

— Mathilde, à propos de ce matin, écoute, je... commença-t-il.

La jeune fille pivota et grogna :

— Non ! Toi, écoute ! J'ai fini de me faire insulter jour après jour, OK ? J'avais une mauvaise matinée, je n'étais pas efficace, c'est vrai ; mais je pense qu'en tout et partout je mérite mieux que d'être ton bouc émissaire ! Je n'en peux plus ! Alors sois certain que je ne remettrai plus jamais les pieds à l'épicerie, quoi que tu me racontes ! J'ai déjà trouvé un nouvel emploi, dans un endroit où on ne me traitera pas comme une ratée ! cracha-t-elle.

Elle termina avec un sanglot et s'essuya les yeux avant de s'enfuir, laissant Xavier interdit.

Sa dernière phrase s'était par hasard insérée entre deux chansons, les gens autour d'eux ayant saisi chacun de ses mots chargés de mépris.

Ne voyant plus son cavalier, Mathilde s'engouffra dans le couloir, frustrée et en larmes.

Elle s'appuya contre la porte qui menait à la cage d'escalier. Pour la deuxième fois de la journée, elle suffoquait de détresse. La main sur la poitrine, elle tenta de se calmer mais la douleur montait en elle, l'étouffait. Et là, sans que personne ne puisse l'entendre, elle donna libre cours à sa peine. Elle hurla puis martela la paroi métallique jusqu'à ce que ses jointures rougissent et qu'elle sente son cœur battre dans sa main. Ah, si une falaise se trouvait devant elle…

Non ! Ce n'était pas vrai. Elle ne devait pas céder au découragement. Elle avait acquis plusieurs choses aujourd'hui ; elle avait notamment marqué des points dans son estime d'elle-même, en se mesurant à Bruno et à Xavier. Elle se révélait plus forte qu'elle ne le soupçonnait. Elle n'était plus la victime de personne. Et elle était importante. Oui, Mot le lui avait dit.

Elle sursauta en se retrouvant face à son ténébreux cavalier. Dans le noir, elle ne pouvait distinguer son expression. Il n'y avait que sa belle gueule retroussée d'un sourire ravageur. Du bout des doigts, il frôla sa joue. Mathilde repoussa sa main.

— Oublie ça ! Tu me prends pour une proie facile, toi aussi !

— Bien sûr que non…

— Ne me touche pas, murmura-t-elle.

— Laisse-toi aller...

Son souffle balaya les lèvres de la jeune fille. Toute trace de volonté la quitta. Ses deux pieds cimentés dans le plancher l'empêchaient de bouger, de se défaire de cette étreinte malsaine hélas si tentante...

Qui était cet individu ? Elle essaya une nouvelle fois de l'éloigner, sans grande conviction.

Dès qu'il posa sa bouche sur la sienne, les pensées de Mathilde se confondirent. Il avait un goût de nectar d'agrumes dont elle se découvrit insatiable. Si ses sens s'enflammèrent au départ, elle perdit vite son ardeur. Elle s'affaiblissait, abandonnait toute détermination, toute conviction. Désespérée, elle se sentait incapable de lâcher, incapable de fuir.

Cet incube la vampirisait sans ménagement. D'une habile embrassade, il éteindrait vite la moindre lumière qui persistait en elle. Le froid se frayait déjà un chemin.

— Il est ici !

Une main se posa sur l'épaule du jeune homme, le forçant à se retourner. Vacillante et exténuée, Mathilde se retint contre le mur pour ne pas perdre pied. Son cavalier hoqueta en découvrant Mot, accompagné de la jeune femme blonde que Mathilde avait croisée à l'Hôtel Camélia. Son ventre arrondi gonflait la tunique blanche qu'elle portait sur un jean évasé.

— Encore en train de faire des ravages, frérot ? le nargua-t-elle.

— Que fais-tu ici ? s'énerva le cavalier.

— Ce gentil garçon m'a indiqué le chemin, répondit-elle. Mais il n'est pas difficile de suivre ta route de destruction, mon cher. Viens, c'est assez pour aujourd'hui ! D'ailleurs, j'ai besoin d'un conducteur pour me ramener à la maison...

Furieux, il s'éloigna sans un regard pour Mathilde. Il bouscula Mot et lui prit la gorge.

— Tu le sais, ce n'est que partie remise. Tu ne pourras jamais m'empêcher de me trouver de nouveaux adeptes. Je suis partout, je suis contagieux...

— Nous ne sommes pas des ennemis, vieux ! Matie, elle, est spéciale, c'est tout, affirma le garçon, nullement intimidé.

D'une secousse, celui qui avait été pris en flagrant délit relâcha son délateur et s'éclipsa en fulminant. Ébranlée, Mathilde surveillait cet échange sans comprendre. Les joues baignées de larmes, elle n'arrivait plus à formuler de réflexions cohérentes. Elle se laissa choir sur le sol, recroquevillée, tremblante.

— De quoi parliez-vous ? articula-t-elle.

Mot retourna son attention vers elle. Il se pencha et encadra son visage avec tendresse.

— Je crois qu'elle a besoin de dormir, conseilla la sœur du séducteur sans scrupules.

Tandis que Mathilde sanglotait, Mot la calma. La jeune femme enceinte au doux regard turquoise posa l'index sur le front de Mathilde et, bientôt, sa tête lourde s'affaissa sur ses genoux. Elle s'évanouit.

— Merci, lança Mot, reconnaissant.

— Il n'est pas dans nos habitudes d'être en bons termes, mais je suis quand même contente de t'avoir aidé. Ça fait deux fois déjà aujourd'hui... chantonna-t-elle avant de partir.

Avec précaution, Mot souleva la jeune fille endormie dans ses bras et la transporta vers la sortie de la boîte de nuit, sous l'expression éberluée des clients. Près du vestiaire, Mot repéra un jeune homme qui enfilait son manteau.

— Hé, toi ! Je pense que tu la connais...

Xavier sourcilla.

— Oui... Qu'est-ce qu'elle a ?

— Je crois qu'elle a trop bu. Peux-tu nous reconduire ? Je ne sais pas où elle habite.

Xavier parut surpris par cette requête.

— C'est que... après le discours qu'elle m'a servi ce soir, je ne pense pas qu'elle serait très contente de savoir que je l'ai ramenée chez elle.

— Elle ne le saura pas, lui confia Mot, avec un sourire coquin.

Après un instant d'hésitation, Xavier hocha la tête. Avant de sortir, le portier les interpella :

— Où allez-vous avec elle ? demanda-t-il, méfiant.

— Trop d'alcool... Elle travaille à l'épicerie avec moi et on s'occupe de la ramener chez elle, rétorqua Xavier.

Mot et Xavier remontèrent la rue principale jusqu'à une rutilante voiture neuve.

— Belle bagnole ! s'exclama Mot.

— Ouais...

— Quoi ? Elle te donne du mal ?

— Je l'ai eue lorsque je suis entré dans la compagnie familiale, raconta Xavier en déverrouillant les portières.

— Et ça représente un problème ?

— En quelque sorte...

Xavier ouvrit et Mot installa Mathilde sur la banquette arrière. Les joues de la jeune fille étaient encore humides et elle sommeillait, son visage triste appuyé dans sa paume. La manche relevée de son veston laissait clairement paraître les marques rouges qui lézardaient son poignet. Mal à l'aise, Xavier prit une couverture de laine dans le coffre de la voiture et en couvrit Mathilde.

Xavier et Mot prirent place à l'avant du véhicule. En démarrant, Xavier demanda :

— Elle n'avait pas de manteau, par cette température ?

— Non. Je l'ai trouvée ce matin sur le point de se balancer en bas de la falaise... Un crétin l'avait poussée à bout, semble-t-il.

— Elle a dit ça ? s'enquit Xavier, ahuri.

— Pas de cette façon. Si tu la connais, tu sais que ce n'est pas son genre. En tout cas, je me demande qui est assez méchant pour s'en prendre à une fille comme elle !

Derrière le volant, Xavier demeura songeur un moment.

— Peut-être que ce gars-là n'aime pas le reflet que lui renvoient les yeux de Mathilde. Peut-être qu'il se déteste. Peut-être qu'il se sent possédé par un genre de monstre.

Mot acquiesça.

— Et comment calmer ce monstre ?

Les épaules de Xavier s'affaissèrent. Il soupira, puis lâcha d'une voix étranglée :

— Je ne sais pas.

Le reste du trajet se fit dans un silence complet. Xavier arrêta sa voiture devant un modeste bloc d'habitations de quatre étages, sur une avenue parallèle à la rue principale. Mot fouilla les poches de la jeune fille et y trouva un trousseau de clés. Tandis qu'il les insérait une à une dans la serrure pour accéder au portique, Xavier enroula Mathilde dans la couverture et la souleva dans ses bras. Il redoutait qu'elle se réveille, pourtant elle ne réagit pas ; elle paraissait complètement sonnée.

Mot consulta le tableau de l'entrée afin de déterminer de quel appartement il s'agissait. Sceptique, Xavier interrogea Mot.

— Qui es-tu au juste ?

— Un proche.

— Et tu ne sais pas son adresse ?

— Nous ne nous étions jamais vus avant ce matin...

Xavier monta son ballot au troisième palier, dans un escalier où se mêlaient des effluves de différentes natures, pot-pourri et mets épicés, jusqu'à une porte ornée d'une petite couronne de fleurs séchées. Après quelques tentatives, Mot ouvrit sur un étroit couloir sombre. Il recueillit Mathilde.

— Ça va aller ? s'enquit Xavier.

— J'imagine. Hé, tu ne veux pas récupérer ta couverture ?

— Non, elle peut la garder. Bonne nuit.

Xavier repartit, le dos voûté et les mains enfoncées dans les poches. Mot, lui, louvoya un peu dans le logement afin de trouver où déposer sa charge. Salon, cuisine, salle de bain. D'une pièce fermée lui parvint un ronflement sonore. Il bifurqua à l'opposé.

Il entra alors dans une minuscule chambre tapissée d'images de poissons, de sirènes et autres créatures de l'océan. Sur la commode, un aquarium brillait d'une lumière tamisée et laissait entendre le tintement cristallin d'une chute d'eau. Des carpes orangées y circulaient entre des branches d'algues de plastique et un faux trésor.

Cet antre donnait l'impression de plonger dans un réconfortant monde subaquatique. Un décor puéril pour une femme-enfant qui persistait à vouloir demeurer dans un univers rassurant, hermétique, illusoire. Mot sourit ; il ne pouvait que s'agir du havre de Mathilde Poisson.

Il déposa la jeune femme sur le lit couvert d'un édredon jonché de coquillages imprimés. Au moment où il l'embrassa, elle papillota des cils. Ses yeux étaient bouffis.

— Tes lèvres sont froides, marmonna-t-elle.

Il la fit taire en lui plaquant son index sur sa bouche.

— Bonne nuit, Matie. Dors bien.

Elle n'opposa aucune résistance et sombra de nouveau.

Même les aquanautes sont vulnérables

« La vie ne meurt jamais, seuls
les transporteurs de vie meurent. »

Boris Cyrulnik, *L'ensorcellement du monde*

Lorsqu'elle souleva les paupières, Mathilde éprouva un éventail de sentiments contradictoires. Elle ressentit d'abord un bref réconfort en se découvrant dans l'atmosphère sous-marine de sa chambre. Puis la panique la submergea quand elle vit l'heure. Avec soulagement, elle se rappela qu'elle avait quitté son emploi la veille.

Enfin, la journée qui venait de passer lui revint en mémoire. Son dernier flash se résumait en cet étrange baiser que lui avait donné le bel inconnu du club. Cette sensation de froid qui l'avait alors envahie. Ensuite, le sourire espiègle de Mot penché au-dessus d'elle.

Le reste se perdait dans un brouillard confus. D'ailleurs, elle ne gardait aucun souvenir de la façon dont elle était parvenue chez elle. Ni de l'endroit où se trouvait Mot.

Elle étira le cou et aperçut, sur le plancher, un sac de couchage béant et froissé, ainsi qu'une grosse couverture de laine grise. Elle ne reconnaissait rien de cela. Éberluée, elle bondit du lit et s'avança dans le corridor. Mot n'avait quand même pas eu le culot de…

Dans la salle de bain, un chuintement continu lui indiqua que quelqu'un prenait sa douche. Mathilde lança un regard effrayé en direction de la chambre de sa mère. La respiration sifflante de celle-ci la rassura : elle n'était pas encore réveillée. Car si elle se butait à Mot, Mathilde aurait droit au sermon de sa vie.

La jeune fille attendit son compagnon, armée d'une humeur massacrante. Par malheur, il avait décidé de prendre son temps. Impatiente, elle s'assit devant son ordinateur et se repassa le film des événements qui avaient mené à sa rencontre avec le garçon. Étrangement, après tout ce qu'ils avaient vécu, elle n'arrivait toujours pas à le cerner. Qui était-il ? Elle ne connaissait même pas son vrai nom.

Elle décida alors d'effectuer une petite enquête sur Internet afin de savoir à qui elle avait affaire. En se remémorant certains faits, dont la bataille dans la ruelle où l'homme costaud et monstrueusement tatoué avait appelé Mot « faucheur », elle essaya différentes combinaisons dans un moteur de recherche : M. Faucheur, M. Faucher (peut-être avait-elle mal compris), Mortimer, Maurice…

Le nom Maurice Faucher donna des résultats concluants, dont plusieurs articles de journaux récents. Dès qu'elle cliqua sur sa découverte, son cœur se retourna.

« Il tue sa famille avant d'incendier la maison. »

Mathilde se mordit la lèvre.

— Impossible !

Les mains tremblantes, elle parcourut le reportage, saisie par l'horreur des détails. Elle frissonna à l'idée d'avoir dormi sous le même toit qu'un meurtrier. Le doigt enfoncé sur le bouton de la souris, elle repéra un article connexe. La photographie du tueur s'afficha. Soulagée, elle constata qu'il s'agissait d'un trentenaire moustachu qui n'avait rien en commun avec Mot.

— Qui c'est, Maurice Faucher ? demanda Mot par-dessus son épaule.

Mathilde sursauta violemment et ferma la fenêtre qui présentait la rubrique. Empourprée, elle bafouilla.

— Personne ! Ce sont les nouvelles de ce matin…

Elle se tourna vers lui. Peu pudique, il n'était couvert que d'une serviette nouée autour des hanches. Agacée, Mathilde lui lança ses vêtements éparpillés sur le sol.

— N'as-tu aucun complexe ? Habille-toi, pour l'amour du ciel !

— Quoi ? Mon corps de dieu t'intimide ? la nargua-t-il.

— Je suis persuadée qu'un dieu n'aurait rien d'un adolescent pâlot et maigrelet !

Hilare, il regagna la salle de bain.

Mathilde soupira. Elle éteignit son ordinateur. Elle était tout de même bien rassurée que Mot ne se révèle pas être un criminel. Il avait beau être la personne la plus embêtante qu'elle ait jamais croisée et lui faire vivre des sensations déconcertantes, elle ne lui prêtait pas l'âme d'un assassin.

Perdue dans ses pensées, la jeune fille écarquilla les yeux d'épouvante lorsque sa mère remonta le couloir et passa devant sa chambre. Hirsute, les yeux boursouflés, Évelyne Poisson lui adressa un regard chargé de reproches.

— Tu es rentrée tard ? maugréa-t-elle, le timbre rauque.

Figée, le teint exsangue, Mathilde acquiesça, les doigts crispés sur les accoudoirs de sa chaise.

Pour toute réponse, sa mère fronça le nez avec un air bougon et poursuivit son chemin. Quand elle l'entendit fouiller dans les armoires de la cuisine, Mathilde jaillit de sa torpeur et s'élança de nouveau vers la salle de bain. Mot devait partir au plus vite.

Le garçon émergea de la pièce dans un nuage de vapeur, l'expression grave.

— La chaîne de la toilette était décrochée. Je l'ai réparée.

Dans sa main, il tenait une bouteille d'alcool pleine. Mathilde ouvrit la bouche, puis se ravisa. Elle savait que sa mère cachait des bouteilles un peu partout dans l'appartement. Même dans le réservoir de la cuvette. C'était un secret de polichinelle. Cela faisait partie de son déni. Et, parfois, de sa paranoïa.

— Mot, il faut que tu partes, maintenant ! chuchota Mathilde, désespérée.

— Pourquoi ? Je vais rendre à ta mère ce qui lui revient de droit...

Il poussa Mathilde qui tentait de le retenir et s'avança jusqu'à la table de la cuisine. Évelyne Poisson cherchait sans succès dans les placards, maugréant des paroles inintelligibles entre ses dents serrées.

— C'est ça que vous voulez ? lâcha-t-il, cynique.

Évelyne releva la tête et examina sans comprendre le garçon frondeur qui se dressait devant elle. Mot déposa la flasque sur la table.

— Qui c'est, celui-là ? aboya la femme en direction de sa fille.

Les mains sur la bouche, Mathilde observait la scène et secouait la tête, médusée. Elle redoutait les répercussions que provoquerait cet affront. Mot, lui, effectua une ronde dans l'appartement. Une à une, il découvrit les cachettes d'Évelyne : sous le meuble de la télévision, dans sa table de chevet, au fond du porte-parapluies. À croire qu'il y avait passé la nuit.

— J'adore celle-là !

Il cueillit un livre dans la bibliothèque, un petit dictionnaire de médecine, qui s'avéra être creux.

Le garçon exposa fièrement ses trouvailles sur la table, près de la première bouteille.

— J'ai l'impression de participer à une chasse aux trésors… Je les ai toutes trouvées ? Est-ce qu'il m'en manque ? ironisa-t-il.

Des larmes roulaient sur les joues de Mathilde. Depuis longtemps, elle tentait de cacher le problème de sa mère et de la couvrir de son mieux, bien que, ces derniers temps, l'attitude d'Évelyne ne dupait plus personne. Mais de voir ainsi étalée la progression de cette maladie humilia Mathilde plus que sa mère.

— Petite pétasse ! Qu'est-ce que tu as rapporté là ? Sors-moi *ça* de la maison ! s'écria sa mère d'une voix stridente.

Évelyne Poisson fixa sur Mot son regard vitreux, dangereusement trouble, à la manière d'un serpent qui s'enroule sur sa proie dans le but de l'étouffer.

— Quoi ? J'ai fait quelque chose de mal ? Je voulais juste donner un petit coup de main, poursuivit Mot, feignant l'innocence.

En fait, il tenait tête à Évelyne, affichant un sourire effronté, narquois. L'air était lourd. Mathilde se cacha le visage.

Évelyne hurla de rage et lança le premier objet qui lui tomba sous la main en direction de Mot. Le garçon esquiva la tasse, qui éclata sur le mur avec fracas avant de retomber dans un crépitement de porcelaine brisée.

— Bon. Puisque je ne suis plus le bienvenu... ricana-t-il. Dommage !

Mot tourna les talons. Il attrapa son sac dans la chambre de Mathilde, puis salua la mère et sa fille d'un geste négligeant en portant deux doigts à son front.

— Ciao ! Enchanté de vous avoir rencontrée !

Évelyne serra les poings, si embrasée par l'animosité qu'elle n'arrivait plus à articuler la moindre parole. Indifférent au tumulte qu'il avait causé, Mot prit le chemin de la porte et sortit, sans plus. Tiraillée entre la détresse de sa mère et le personnage insolent qui venait de quitter la pièce, Mathilde chancela.

— Si tu oses *le* suivre… menaça sa mère, brandissant l'index vers elle.

L'instinct força Mathilde à baisser les yeux. Puis une nouvelle force, puisée dans le fond de ses entrailles, lui releva le menton.

— Ah, maman ! se désola-t-elle, les yeux tristes.

La jeune fille s'enfuit d'un pas précipité. Bredouille, sa mère s'écria :

— Sale petite vipère ! Reviens ici tout de suite ! Traînée ! Ah, et puis je n'en ai rien à foutre d'une fille comme toi !

Ces mots résonnèrent loin, même au-delà des murs de l'appartement, sans toutefois atteindre Mathilde.

Un sanglot.

— Non… attends ! Je m'excuse…

Portraits hors cadre

« Mûrir, mourir ; c'est presque le même mot. »

Victor Hugo, *Tas de pierres*

— Quelle heure il est ? demanda Arnie en ouvrant les yeux.

Joe jeta un bref regard vers le manteau de la cheminée. Dans l'âtre crépitaient encore de pâles tisons.

— Sept heures et quart.

— T'es sérieux, Joe ? Ça doit bien faire cinquante ans que je n'ai pas passé une nuit blanche !

— Pas si blanche que ça… *God !* Tu ronflais comme un moteur de B-52 il n'y a pas cinq minutes.

— Ça fait quand même changement du foyer.

— Quoi ? Tu es en fugue ?

— Non. Mais je devrais.

Joe ricana. Il ramassa la bouteille poussiéreuse où dansait le précieux liquide ambré qui avait accompagné leurs retrouvailles.

— *God !* Cette bouteille a patienté pendant au moins vingt-cinq ans dans le fond du garde-manger…

— Tu attendais la visite de la reine pour l'ouvrir ?

— C'était un cadeau de ma Paulette.

— *Ta* Paulette ? releva Arnie.

— Tu ne m'as jamais pardonné de l'avoir séduite, hein ?

Arnie esquissa un sourire espiègle.

— Nah ! Quand je constate à quel point tu l'as rendue heureuse et que je vois la famille que vous avez eue ensemble, je me dis que c'est ce qu'elle méritait. Moi, tu me connais, j'étais trop volage pour rester fidèle…

— Tu n'as jamais trouvé la tienne ?

— Ou j'en ai trouvé plusieurs, c'est selon ! pouffa Arnie en haussant les épaules.

— Et moi qui pensais que tu étais toujours fâché…

— Ben non, voyons ! La vie continue, et la mienne n'a pas été moche, je t'en passe un papier !

— Tant mieux ! Je suis vraiment content d'avoir enfin réglé ça. Mais… *God !* À quatre-vingt-dix ans, ça n'a pas de bon sens de boire comme ça !

— Joe, à notre âge, on serait fous de s'en passer !

— Ouais… Mon arthrite est partie !

Ils étouffèrent un rire de connivence, aussi fiers que deux gamins qui venaient de réussir un mauvais coup.

— C'était un vrai signe du ciel que je trouve par hasard ton adresse dans mon courrier… À la tienne, Joe, espèce de vieux crabe !
— À la tienne, Arnie, vieux sénile !

* * *

Le soleil jetait une froide lumière matinale sur le cimetière quand une voiture rutilante s'engagea dans l'allée de la nécropole. Le pneu avant chevaucha la chaîne de trottoir un moment, puis le véhicule roula dans l'herbe jusqu'à ce qu'il percute une pierre tombale. Celle-ci se brisa en deux, ne laissant plus que le nom de famille du défunt.

Steve Sansoucy sortit avec difficulté de sa Porsche, hagard et désorienté. Il avait roulé toute la nuit avant d'aboutir là. Était-ce un hasard ou une ironie ?

La veille, il avait finalement assisté au rendez-vous qu'il repoussait sans cesse. Le diagnostic du médecin lui était tombé dessus comme une tonne de briques.

« Cancer. »

Le destin savait parfois faire preuve de sens de l'humour. Un mois auparavant, alors qu'il visionnait son film le plus réussi, celui où il avait une pose avantageuse et où sa jeune compagne semblait s'extasier, il s'était découvert une bosse dans le dos. Soudain, les ébats captés sur vidéo n'avaient plus d'importance ; tout ce qu'il voyait, c'était cette satanée excroissance au-dessus de son omoplate. Il avait essayé de la tâter, malheureusement elle se situait à un endroit hors de portée.

Steve avait consulté son médecin, qui l'avait d'abord rassuré, estimant qu'il s'agissait d'un kyste inoffensif. L'omnipraticien lui avait quand même recommandé de subir une biopsie.

Et voilà. Dès qu'il avait pris place devant cet autre docteur spécialisé, il avait su à son expression austère que la situation n'était plus rose. Plus personne n'entendait à rire. C'est à ce moment que ces mots, souvent entendus hors contexte et toujours ignorés, s'étaient mis à danser dans sa tête en un tourbillon affolant. « Tumeur. Cancer. Chimiothérapie. Radiothérapie. Opération. Convalescence. Survie. » Il en avait eu la nausée. Il avait dégueulé dans le couloir immaculé de l'hôpital.

Ensuite, il avait conduit la nuit durant, sans but, sans espoir. Il avait même songé à fracasser sa voiture contre un mur. En finir maintenant. Pas de douleur, pas de souffrance. Sinon, possédait-il le courage de se battre ?

Il marcha entre les rangées de sépultures et repéra la fosse où il avait trouvé deux adolescents plus tôt, la veille, en après-midi. Il décida d'imiter la jeune fille et descendit au fond pour s'étendre de tout son long.

Il se sentit seul. Un flot de peur s'empara de lui. Il n'était pas prêt ! Il ne voulait pas mourir ! Ainsi isolé, il s'autorisa à pleurer.

Lorsqu'il se calma, il fixa le ciel. Ce serait une belle journée, le ciel d'azur ne s'encombrait que de quelques petits cumulus blancs. Il tendit les doigts. D'ici, il pouvait presque croire qu'il touchait les nuages.

* * *

Bruno cligna des yeux. Il se passa une main lasse sur le visage et s'étira vivement, puis remarqua la silhouette assoupie à ses côtés. La soirée de la veille lui revint alors en mémoire.

« Ah ! merde ! » C'était le moment qu'il détestait le plus.

Il s'assit au bord du lit et déplaça une bouteille de bière pour voir l'heure. Il n'était pas si tard, pourtant il souhaitait déjà entamer sa journée. Il se leva et enfila ses vêtements, s'agitant et générant plus de bruit que nécessaire. Les couvertures remuèrent, et la fille endormie se réveilla avec un petit gémissement de protestation. Elle déploya les bras pour s'étendre en étoile et demanda avec un sourire :

— Quelle heure est-il ?

— L'heure que tu partes.

Les yeux de la fille s'ouvrirent, grands et ronds.

— Quoi ? Mais pour quelle raison ?

— J'ai des choses à faire.

Il osait à peine la regarder. Dans l'éclairage diffus du club, la veille, elle ne semblait pas si mal. Ce qu'il découvrait ce matin n'était pas à la hauteur de ses attentes. Elle avait les hanches trop larges, un petit ventre mou et des seins qui manquaient de fermeté. En plus, son maquillage avait coulé, lui faisant des yeux de raton laveur croûtés.

Il lui jeta ses vêtements.

— Hier, tu me disais que tu avais hâte qu'on se réveille pour refaire l'amour ! Tu m'as même dit que tu me voulais depuis longtemps, que tu étais heureux d'enfin sortir avec moi ! s'écria-t-elle en bondissant.

— Eh bien, c'était hier.

Le regard de la fille s'embrouilla, ruinant son fard de plus belle. Elle s'habilla avec un grognement de frustration.

— Tu es vraiment un salaud, Bruno. Mes amies m'avaient avertie !

— Je t'appellerai.

— Pas la peine. Va te faire voir ! cracha-t-elle en claquant la porte du petit appartement que Bruno occupait au sous-sol de la maison familiale.

Il avala un verre de lait et une rôtie, et s'installa ensuite à son ordinateur. Assis devant l'écran noir, il soupira. Il ressentait toujours ce même vide. Seul ou avec une fille ou avec ses copains, il avait l'impression d'être creux, de ne rien éprouver. Une chose le comblait, par contre. Et ça occupait le plus clair de son temps ces jours-ci.

Il s'en voulait parfois. Il se doutait que ce n'était peut-être pas complètement normal, qu'il avait peut-être été initié trop jeune et pas dans les meilleures circonstances... Malgré cela, rien d'autre ne lui procurait de telles sensations.

Il leva les yeux et croisa sur son babillard une photo de Mathilde, souriante, les cheveux dans le vent. C'était elle qui lui avait exposé ce problème, lui renvoyant en plein visage. Or, il n'avait pas aimé ce qu'elle lui avait reproché. Il avait immédiatement coupé les ponts.

D'un geste brusque, il décrocha le portrait et le jeta à la corbeille.

— Arrête de me regarder comme ça, Mathilde Poisson !

Il ouvrit son ordinateur et son moteur de recherche. Il hésita un moment, pianotant nerveusement sur son bureau, puis attaqua son clavier. Il tapa l'adresse de son site pornographique préféré et pressa la touche Entrée.

Quand les premières images apparurent, il poussa un grognement exaspéré et ferma l'appareil. Il se tourna alors vers la poubelle ; il rencontra les yeux de Mathilde et sa gorge se noua.

* * *

Le front barré d'un pli soucieux, Julianne enleva son peignoir et se présenta devant sa psyché. De la tête aux pieds, elle promena un œil sévère sur chaque centimètre de peau, chaque creux, chaque bourrelet. Elle déglutit. Elle avait la gorge en feu.

De face, ce n'était pas si mal. Il n'y avait que cette culotte de cheval qui arrondissait ses hanches.

Elle se tourna. Le pire demeurait le profil. Ces bras flasques, informes et sans tonus, sans parler de cet affreux renflement du ventre. Elle se sentait comme un aspic gélatineux qui frémissait au moindre mouvement.

Bruno ne devait pas la voir ainsi, avant qu'elle réussisse à atteindre un poids acceptable. Sinon, il la larguerait sans hésiter. Pourquoi avait-il rompu avec Mathilde, d'ailleurs ? Mathilde était mignonne… Mais elle, s'il découvrait sa vraie nature, ce qui se cachait sous ses vêtements, il fuirait !

Son estomac poussa une plainte. Furieuse, elle se cribla le ventre de coups de poing pour faire taire cette panse qui hurlait de colère.

— Tais-toi ! Tais-toi !

Dans le miroir, elle s'adressa un regard noir.

— Tu es grosse ! Une grosse boule de graisse ! Comment peux-tu avoir faim ? Salope ! Tu es dégoûtante !

La porte s'ouvrit à la volée et sa petite sœur, de dix ans sa cadette, entra. La fillette se coucha en travers du lit, déplaçant les coussins soigneusement classés par ordre de couleur et les draps bien tirés, sans plis.

Julianne enfila en vitesse son peignoir et hurla :

— Qu'est-ce que tu fous dans ma chambre ?

La fillette grignotait avec appétit un biscuit à la noix de coco. Julianne pinça les lèvres, les yeux pleins de reproches. Sa sœur deviendrait vite aussi enrobée qu'un saucisson de Bologne si elle ne se préoccupait pas de son alimentation.

— Qu'est-ce que tu as dans la tête ? T'empiffrer de gâteries à cette heure du matin !

Florence gloussa.

— Juste un… ce n'est pas si grave ! J'ai un entraînement de soccer ce matin. Tu veux venir avec moi ?

— Non. J'ai mieux à faire.

— Mais pourquoi ? implora la fillette. Tu jouais toujours avec moi, avant…

— Florence, je t'ai dit de sortir !

Ignorant les supplications de sa sœur, Julianne prit une brosse et entreprit de se coiffer. À son grand étonnement, une mèche de cheveux lui resta dans la main. Elle la fixa, médusée.

Plus loin, sa sœur se leva du lit à contrecœur, mais lui lança un sourire admiratif.

— Tu sais, plus tard, j'espère que je vais être belle comme toi ! affirma Florence avant de déguerpir au pas de course.

Julianne se jeta un regard accablé dans la glace.

* * *

Loïc traversa le cimetière en direction du groupe sombre rassemblé autour de la tombe de son grand-oncle. Il remarqua distraitement les traces de pneus qui creusaient des sillons dans la pelouse impeccablement tondue et s'arrêtaient vis-à-vis d'une stèle fendue. Un accident dans un cimetière. Étrange.

Il sortit de sa poche un petit signet qui arborait la photo en médaillon de Jean-Pierre, toujours souriant, au-dessus de la date de sa naissance et de celle de sa mort. En bas, les mots « Tu nous manqueras à tous ».

Ouais. Surtout à lui.

Il poursuivit son chemin vers les autres et, avec un profond soupir, il se glissa jusqu'à son père, debout à l'avant. On se préparait à descendre le cercueil en terre, et un prêtre discutait avec la veuve qui pleurait à chaudes larmes. Le dernier au revoir était difficile à prononcer.

— Ta copine n'est pas venue ? lui souffla son père.

— Non, dit Loïc. Elle a dû partir vite. Elle a… euh… de la famille dans le coin.

— Oh, c'est dommage ! J'aurais bien aimé lui reparler. Elle a l'air d'une bonne fille. Tu l'inviteras à la maison, bientôt.

Loïc hocha la tête, sans grande conviction.

— D'ailleurs, c'est vraiment une excellente nouvelle qu'elle soit de la région. Comme ça, si *tes affaires* en ville ne marchent pas, tu pourras revenir au village. J'ai parlé à mon patron, hier, et il m'a dit qu'il te ferait une place à l'usine. Là, au moins, tu travaillerais dans quelque chose de sérieux.

La gorge du jeune homme se serra et son expression devint effrayée. Non, tout sauf ça !

Loïc n'avait pas encore eu le courage d'annoncer à son père qu'il s'était inscrit au programme de maîtrise en histoire pour l'automne suivant. Par contre, il avait postulé pour obtenir une bourse, mais sa demande avait été refusée. Il n'aurait donc aucun financement pour poursuivre ses études. Jean-Pierre lui avait promis de trouver un moyen de l'aider ; hélas, il avait trépassé avant de lui donner le moindre sou !

Son grand-oncle n'arrêtait pas de lui dire à quel point il croyait en lui, combien il souhaitait le voir aller loin, lui qui n'avait jamais eu la chance de fréquenter l'université. Et voilà que le destin se foutait de lui et le laissait dans une situation désespérée.

Oh, il pourrait sans doute se trouver un boulot le soir et les fins de semaine, mais il avait peur que cela l'épuise, comme son colocataire qui avait fini par lâcher ses études. Ou qu'il se résigne comme son autre coloc, qui vendait de la drogue pour joindre les deux bouts.

Son père, lui, ne cautionnerait jamais ce qu'il qualifiait de farfelu et d'inutile. « Qu'est-ce que tu vas faire avec ça, mon garçon ? Les intellectuels sortent des écoles avec de gros diplômes et ils crèvent de faim ! Trouve-toi donc un vrai travail pendant que tu en as la chance ! »

Et tandis que le cercueil de Jean-Pierre descendait doucement dans la fosse, Loïc ne put retenir ses larmes et éclata en sanglots. Bientôt la terre avalerait le seul homme qui l'ait jamais compris. Et possiblement son avenir du même coup.

* * *

Robert Johnson avait déjà frayé dans les hautes sphères. Du haut de son gratte-ciel, il posait un regard condescendant sur le reste de ses semblables ; lui s'était hissé sur le toit du monde, lui avait réussi. Les rouages de la Bourse n'avaient plus de secret pour lui.

Justement, peut-être pas assez…

À ce propos, la Cour avait tranché. Les médias aussi.

« Robert Johnson : coupable de délit d'initié », titraient les quotidiens.

Il devint alors le sujet de prédilection des journalistes et des éditorialistes, une source intarissable de blagues de la part des animateurs et des humoristes. Tous les potins qui le mentionnaient étaient placardés partout, tous les calembours du moment incluaient son nom. Il n'était plus craint ni admiré, plutôt rejeté et ridiculisé.

Après avoir purgé sa peine, il était, comme le reste des événements à sensation, bien vite tombé dans l'oubli.

Après six ans de pénitencier, il avait obtenu une probation afin de réintégrer la civilisation. Il ne s'était heurté qu'à des portes closes. Plus personne ne voulait de lui ; sa femme avait refait sa vie et ses enfants, désormais adolescents, le percevaient comme un étranger.

Au moment où il avait réalisé qu'il devait retomber au niveau éprouvant des premiers échelons et qu'il n'aurait sans doute plus l'occasion de les gravir, quand ses seules fréquentations sont devenues la douleur et le désespoir, il avait décidé que c'en était assez. Il pouvait encore quitter la vie la tête haute.

Mais voilà qu'un énergumène s'était présenté à sa rescousse pour le convaincre du contraire. Un garçon irrévérencieux qui tenait à lui montrer l'autre côté de la médaille.

Par la suite, son sort n'avait qu'empiré. Ce petit salaud avait menti : rien ne changerait. Rien ne changerait *jamais*.

Maintenant, il ne jurait plus que par la vengeance et ne survivait qu'à cette seule et unique fin. Il errait dans les rues, jour et nuit, tel un spectre.

L'échine courbée, le bas du ventre encore douloureux de l'assaut de Mathilde Poisson, Robert Johnson s'engagea dans une ruelle en quête de nourriture. L'Élysée avait peut-être déjà sorti ses ordures. Il y trouvait souvent des restes savoureux à se mettre sous la dent. Malheureusement, il n'y dénicha rien. Au bout de l'allée, par contre, un petit sac de papier brun attira son attention. À l'intérieur, il découvrit une barquette sertie de profiteroles nappées de chocolat.

Il gloussa. Son dessert préféré. Au fond du paquet, il y avait un message.

« Et qu'as-tu fait de ton sursis ? »

* * *

Assis sur son lit défait, Xavier fixait sa guitare. Enfermée dans un étui et posée dans un coin de sa chambre, celle-ci patientait.

Xavier se tordait nerveusement les mains. Ses doigts le démangeaient. Il y avait des mois qu'il n'avait pas gratté les cordes de l'instrument. Senti ses vibrations. Calmé son monstre.

Ne supportant plus la vue du fourreau sagement bouclé, il baissa le regard. Vêtu de son uniforme de travail – un polo vert estampillé de l'écusson de l'épicerie Beaumont et un pantalon bleu foncé –, il déglutit. Il était le benjamin de trois enfants. Puisque son frère et sa sœur réussissaient très bien à l'université, il ne savait même plus dans quelles professions pompeuses, il avait automatiquement hérité de la responsabilité de prendre les rênes de l'épicerie. Et cela pesait lourd. Un peu plus chaque jour.

Car il campait le rôle de l'artiste de la famille, le mouton noir, l'inutile qu'il fallait caser à tout prix. Il n'allait jamais aboutir nulle part avec sa musique. On devait vite le remettre sur le chemin rationnel du profit.

Pourtant, il se savait incompétent dans le domaine de la vente. S'il effectuait le boulot sans gaffes ni heurts, il n'avait aucune aptitude pour celui-ci. Aucune passion, non plus. Il était aussi conscient qu'il s'en prenait aux autres pour se défouler de sa frustration. Qu'on le détestait.

D'ailleurs, il se détestait lui-même. Lorsque Mathilde Poisson, employée sans tache ni reproche, posait ses grands yeux tristes sur lui, son monstre se débattait à l'intérieur de sa poitrine. Le torturait.

Cet endroit le rendait fou…

Il examina le bout de ses doigts roses et lisses. La corne qui les couvrait avait fini par tomber. Une mue. Il croyait qu'au moment où il la perdrait il serait entré dans le moule, qu'il se serait conformé. Hélas, le monstre était encore bien vivant !

Il tendit les doigts vers l'étui noir.

Juste un petit riff. Quelques notes. Flatter les cordes. Rien de plus. Ça ferait du bien.

On frappa à la porte de sa chambre, mettant fin à son élan. La figure austère de son père apparut dans l'embrasure.

— Dépêche-toi ! Tu vas être en retard.

— Ça va, papa. Je suis déjà habillé.

Monsieur Beaumont acquiesça d'un geste du menton, même si son visage demeura sceptique. Depuis les nombreux mois que Xavier travaillait à l'épicerie, c'était la même rengaine tous les matins. Son père veillait sur lui comme un bourreau sur un condamné à mort. Même s'il n'avait aucune réprimande à lui faire. À part peut-être la démission précipitée de Mathilde Poisson, la veille. Mais ça, Xavier était le seul à en connaître la véritable raison.

La porte se referma. Xavier se leva avec résignation. Son monstre recommençait déjà à s'agiter. Le cœur à l'envers, il jeta un coup d'œil à l'étui noir qui contenait sa joie de vivre.

Il savait que l'unique moyen de calmer son monstre restait de jouer de la guitare.

* * *

Attablée devant ses cinq compagnons de beuverie, Évelyne Poisson grommelait tout bas, le fil de ses pensées suivant un cours sinueux, chancelant.

Sa fille. Sa propre fille. Cette cruche osait ramener de la vermine à la maison. Un crétin qui n'avait même pas le nombril sec, en plus. Provocatrice. Et il se pavanait comme un petit coq devant elle. L'imbécile. Ça ne lui faisait pas un pli qu'il ait découvert ses cachettes. Idiot. Tant mieux, elle en avait oublié la moitié de toute façon. Surtout celle dans la bibliothèque. Ha ! Elle s'en moquait bien, de ce dictionnaire de médecine. Une lecture médiocre, mais une sacrée bonne planque. Innocent. Elle était la maîtresse, ici dedans ! Elle n'avait pas à endurer ces affrontements. Pourquoi Mathilde la tourmentait-elle comme ça ? Ah, Mathilde ! Elle était un si bon bébé. Une belle petite avec ses boucles dorées. Toujours souriante et contente. Maintenant, cette chipie la jugeait. Oh ! Elle le savait. Juste à voir ses yeux la suivre dans l'appartement. Elle gérait leur budget, en plus. Ne lui donnait qu'au compte-gouttes. Où allait l'argent mensuel de l'assurance-emploi ? En plus de ce que cette futée gagnait au travail ? Elle volait, voilà ce qu'elle faisait. Ingrate ! De son côté, Évelyne ne dérangeait personne. Elle buvait un petit peu des fois, juste pour se donner de l'énergie. Ça ne regardait personne. Et pourquoi Mathilde ne lui parlait plus ? Cette gourde condescendante. Ah, Mathilde ! Reviens. Je m'excuse. Pimbêche. Voilà ce qu'Évelyne était. Une pimbêche. Je suis une foutue pimbêche.

Dans la lumière du matin, les cinq compagnons de beuverie d'Évelyne étincelaient. Leurs reflets glauques se profilaient sur la mélamine de la table, dessinant une mosaïque de formes floues. Évelyne tendit la main vers l'un d'eux. Elle dévissa le bouchon de métal et en ingurgita une lampée.

Elle recracha, ahurie.

De l'eau !

Elle choisit une autre bouteille, puis une autre et une autre… Ce n'était que de l'eau ! Le petit sacripant avait tout remplacé par de l'eau !

Enragée, elle en projeta une contre le mur. Celle-ci explosa en morceaux avant d'aller rejoindre les débris de la tasse qui jonchaient le sol.

Essoufflée, hébétée, confuse, désespérée, elle fixa ses quatre autres compagnons qui se déversaient à grands flots sur la table. Elle éclata alors de rire.

Petite mort illustrée

« J'ai peur ! Je ne veux plus mourir.
Je ne veux pas mourir, mais je ne sais pas
comment je pourrai vivre. »

Maryse PELLETIER, *Une vie en éclats*

Mathilde arriva d'un pas précipité sur le toit de l'immeuble. Elle chercha un moment des yeux avant de se rendre à l'évidence : elle avait perdu Mot. Elle était descendue dans la rue, avait emprunté plusieurs directions, mais il semblait s'être évaporé.

Elle poussa un soupir, oscillant entre la déception et le sentiment d'avoir été flouée. Il ne pouvait pas disparaître comme ça ! Pas à ce moment précis, sans explication !

Pensive, elle scruta l'horizon. Elle montait rarement ici, et pourtant la vue était splendide. Ce devait être le seul point positif de ce modeste immeuble.

La ville ne comptait pas d'édifices élevés, peut-être seulement l'hôpital, avec ses six étages. Ne s'alignaient que des blocs de trois ou quatre étages. Ainsi, au-delà de la multitude de toitures, à sa droite, elle distinguait les bancs miniatures du parc de la falaise. Plus loin, le fleuve brillait comme un écrin rempli de diamants sous l'orbe éblouissant du soleil. Le ciel, lui, accueillait quelques moutons blancs, qui voguaient à la queue leu leu sur la brise porteuse des cris joyeux des goélands.

Mathilde s'assit sur le rebord d'un puits de lumière qui donnait sur la cage d'escalier et médita un peu.

Sa mère. Elle avait souvent souhaité que sa mère disparaisse. Non, pire, qu'elle meure. Qu'elle trépasse enfin pour vivre cette délivrance. Bien sûr, chaque fois que cette pensée ressurgissait, Mathilde la rabrouait vite, l'enfouissait au plus profond de son âme. Ces épisodes précédaient habituellement ceux où elle s'infligeait des mutilations. Avec de telles idées, elle méritait de souffrir.

Mais pas ce matin. Elle acceptait bien des choses, ce matin.

Le flot de ses réflexions fut vite bousculé.

— Ah ! Te voilà ! J'espérais que tu sois sortie de ton enfer bleu… Tu as faim ?

Sans le regarder, Mathilde sourit.

— Tu es revenu.

— Bien sûr ! Et j'ai apporté ces petits pains à l'orange et au pavot... L'odeur me torturait depuis l'aube !

Il déposa un sac de papier à côté de Mathilde. La jeune fille se laissa tenter. Mot demeura un instant silencieux, lui aussi charmé par le point de vue.

— Tu n'es pas fâchée ?

Mathilde ne répondit pas immédiatement, cherchant ses mots. Les bons mots. Depuis vingt-quatre heures, elle avait été entraînée dans des montagnes russes de sentiments. Et en compagnie de ce garçon, elle avait crevé plus d'abcès en une journée qu'elle ne l'aurait espéré en un an.

— J'aurais toutes les raisons de l'être, n'est-ce pas ?

— Ça dépend.

Elle inspira.

— Hier, j'aurais été fâchée. Furieuse même. Aujourd'hui, ce n'est pas pareil.

Elle pigea un autre petit gâteau dans le sac. Ils ne goûtaient pas la même chose que les autres jours. Peut-être le boulanger avait-il ajouté un peu plus de sucre, de fleur d'oranger, de grains de pavot ou de zeste. Avait-il vraiment changé sa recette ou est-ce qu'elle ne les percevait simplement pas de la même façon ? Peu importait, ces petits pains lui paraissaient plus fabuleux que les autres jours. Un peu comme sa vie, sans doute : certaines journées, la recette semblait gâtée ; d'autres, elle se surpassait ; et la plupart du temps, elle était égale à elle-même. Fallait-il balancer la pâte par la fenêtre parce que parfois elle ne levait pas ? Ça arrivait à tout le monde d'avoir des ratés, même avec une formule infaillible.

Cette théorie amusa Mathilde. Mot avait déteint sur elle plus qu'elle n'aimait l'admettre. Il établissait toujours des parallèles entre des choses étranges qui n'avaient aucun rapport. Mais ça marchait.

— Ouais... Hier, on en a vécu de toutes les couleurs ! Mais avoue qu'on s'est bien amusés !

— Peut-être. C'était une belle parenthèse, un bon moment d'évasion... Malheureusement, Mot, la vie, ce n'est pas ça.

La jeune fille se leva et fit quelques pas, les bras croisés.

— Ce n'est pas de faire des mauvais coups, de se moquer des autres quand on ne les confronte pas, de n'ingurgiter que ce qui nous plaît... La vie, c'est plus compliqué qu'une partie de plaisir !

Mot se rendit jusqu'à elle et l'empoigna par le collet. À quelques centimètres de son visage, il persifla :

— Alors, dans ce cas, qu'est-ce que c'est ? Qu'est-ce que c'est la vie, Mathilde ?

Stupéfaite par l'attitude énigmatique du garçon, Mathilde tenta de le repousser. Sans succès. Il l'étranglait.

— Je... je ne sais pas...

— Ce n'est pas une réponse, ça !

Avec une force surprenante, il l'entraîna sur le bord de la corniche. Mathilde se débattit, effrayée. Ses pieds touchaient à peine la moulure du toit, et le reste de son corps se balançait au-dessus du vide. Les yeux de Mot s'étaient assombris, à présent complètement noirs, terrifiants. Des yeux de démon.

— Allez ! Qu'est-ce que c'est, pour toi ?

Livide, le regard embué par la crainte, la seule chose sur laquelle son esprit réussissait à se fixer était les graines de pavot qui craquaient sous sa dent. Le reste lui apparaissait comme un fouillis de pensées informes et sans fondement.

Tant qu'elle s'agrippait à Mot, il l'asphyxiait ; et si elle lâchait prise, elle tombait. La panique s'empara d'elle. Un sanglot rauque franchit ses lèvres desséchées.

— Y tiens-tu ? demanda-t-il.

Y tiens-tu à ta vie, Mathilde Poisson ? Pourquoi t'accroches-tu comme ça ? Pourquoi veux-tu remonter à la surface ? Voilà ta chance ! Y aurait-il un instinct de survie caché en toi, ou n'est-ce qu'un réflexe, comme lorsque les cadavres bougent encore ? Dis-moi, y tiens-tu à ta vie ? Ou préfères-tu l'eau stagnante de ton aquarium...

Autour de Mathilde ne subsistaient que peur et noirceur. Et dans l'ombre se découpait le sourire cruel de Mot. Le corps de la jeune fille était parcouru de décharges électriques provoquées par le vertige.

— Je ne… veux pas mourir ! hoqueta-t-elle avec difficulté, la trachée écrasée.

Mot inclina la tête. Pendant un instant, Mathilde crut qu'il serait clément.

— Ça n'était pas la question.

Il serra un peu plus fort l'emprise sur son cou. Étouffée, elle voulut détacher les doigts du garçon. À ce moment, il la lâcha.

Les bras de la jeune fille battirent l'air à la façon d'un oiseau tandis qu'elle essayait de se retenir. Un cri monta du fond de ses entrailles puis retentit, strident et désespéré. Elle pataugea un court instant avant de sentir la gravité l'arracher à sa brève apesanteur.

L'air hurlait à ses oreilles et elle chuta, chuta, chuta.

Ba-dang !

L'écho de la tôle heurtée résonna.

Mathilde ouvrit les yeux. Abasourdie, elle porta la main à son front et tâta sa tête à la recherche de blessures. Elle se dressa sur un coude, le cœur en bouillie et l'estomac au bord des lèvres.

Elle regarda sous elle et découvrit qu'elle reposait sur une surface de métal blanc. Elle avait atterri à peine quelques mètres plus bas, sur un camion qui effectuait des livraisons dans la ruelle.

La jeune fille releva le menton et vit la silhouette de Mot la saluer avant de disparaître.

L'importance de Mathilde Poisson

« Ce qui ne meurt pas ne vit pas. »

Vladimir JANKÉLÉVITCH, *La mort*

Indécise, Mathilde étira le cou au-delà de la benne du camion. Elle se trouvait à plus de quatre mètres du sol. Comment allait-elle descendre de là ? Elle risquait de se casser la figure !

Avec précaution, elle se laissa glisser sur l'habitacle du conducteur. Dès qu'elle atteignit le capot, elle se retrouva face à face avec le camionneur qui la fixait, perplexe, à travers le pare-brise.

— Hé ! Qu'est-ce que vous faites là ? s'exclama-t-il, en sortant la tête par la fenêtre.

Mathilde s'empourpra.

— Je suis tombée.

— D'où ça ? Du ciel ?

Cette réplique eut raison de ses nerfs en boule. Elle éclata d'un fou rire incontrôlable.

— Oui, c'est ça !

Le routier sourcilla sans comprendre, persuadé qu'elle était folle. Riant à gorge déployée, elle bondit sur le bitume et remonta la ruelle en courant.

Elle devait retrouver Mot ! Bien qu'elle cherchât un peu partout sur son chemin, elle avait une idée de l'endroit où il était susceptible de se rendre.

Arrivée à la vieille gare convertie en station d'autobus, elle se précipita au guichet.

— Auriez-vous vu un garçon d'environ quatorze ans, blond, tout habillé en blanc ?

Le vendeur de tickets haussa les épaules.

— J'ai vendu plus de cinquante billets ce matin, alors...

— Il est facile à reconnaître ! Il est bizarre et ne dit que des insanités !

— Je n'en ai aucune idée, mademoiselle. Vous pouvez vérifier sur le quai numéro trois, il y a un car qui partira dans dix minutes.

Mathilde le remercia et reprit sa course, les yeux levés, examinant les chiffres désignant les débarcadères. Déçue, elle ne repéra pas Mot dans la file de personnes qui patientaient.

Une ombre allongée s'avança alors à ses côtés et la tira de ses pensées.

— Tiens.

Mathilde eut un mouvement de recul en apercevant Xavier. Elle vit qu'il lui tendait son tablier de l'épicerie Beaumont, ainsi que son manteau et ce qu'elle y avait laissé la veille. Méfiante, elle reprit ses effets, sans émettre de commentaire.

— Rassure-toi. Je pars.

Elle fronça les sourcils.

— Tu pars ?

— Ouais. Je ne pense pas que j'avais les compétences requises pour travailler dans le milieu de la vente, ironisa-t-il.

— Ah ? Je…

Mathilde chercha une formule pleine de tact, mais se tut, incapable de le contredire.

— Ça va. Je me doute que je t'ai écœurée de ton travail jusqu'à ce que tu pètes les plombs. Je ne te blâme surtout pas.

Elle le fixa, bouche bée.

— Si tu savais comme je haïssais mon emploi, tu comprendrais peut-être un peu plus mes sautes d'humeur… Mais c'est vrai, ça ne me donne pas d'excuses. Je n'ai aucune bonne raison d'avoir agi comme je l'ai fait. Maintenant, tu peux retourner à l'épicerie si tu le souhaites. Tu y as toujours ta place.

— Non, répondit-elle en secouant la tête. J'ai trouvé autre chose. Je veux repartir à zéro.

— C'est une bonne idée. Très bonne, même, dit-il en tournant les talons.

— Où vas-tu ? N'avais-tu pas une voiture ?

— Mon beau tas de ferraille était rattaché à un boulet... Moi aussi, je me libère de mes chaînes, aujourd'hui. Je n'ai aucune idée de l'endroit où je vais aboutir, mais ce sera certainement mieux qu'ici !

Il ricana, dévoilant un charmant sourire que Mathilde lui avait rarement connu.

— Il y a ce gars en blanc qui m'a ouvert les yeux.

— Un gars en blanc ? s'enquit la jeune fille, redoutant l'identité de celui-ci.

Xavier lui tapota l'épaule.

— Ouais... et tu peux garder la couverture. Salut ! À une prochaine fois, Mathilde Poisson !

« La couverture ? » se demanda Mathilde, médusée. Elle observa le jeune homme efflanqué s'éloigner, un étui à guitare noir enfilé sur le dos.

En poursuivant ses recherches, elle remarqua le kiosque de la vieille médium qui avait élu domicile dans la station. Les touristes étant souvent en quête de quelques conseils ésotériques pour guider leurs voyages, la dame avait décidé de tirer profit de leur vulnérabilité – ou peut-être de leur fébrilité – en leur dévoilant leur avenir. Elle avait été maintes fois chassée de la gare, sous prétexte qu'il s'agissait d'un lieu public où il était interdit de flâner. Mais la gitane moderne revenait toujours. Finalement, on la considérait désormais comme un monument – au même titre que l'architecture du début du 20e siècle qui caractérisait le bâtiment – et on tolérait sa présence.

Mathilde lui décrivit Mot. La voyante pinça ses lèvres minces, sceptique.

— Vous ne voudriez pas être associée à un tel personnage, affirma-t-elle.

— Ce n'est pas ce que je vous demande ! insista Mathilde.

— Si vous voulez, je peux lire vos cartes de Tarot, cela vous éclairera.

La jeune fille soupira, exaspérée. Voilà que ce fossile accoutré de vêtements à paillettes rapiécés lui débitait un message préenregistré. Elle n'allait rien tirer d'utile de la médium aujourd'hui. Elle s'enquit à d'autres voyageurs, jusqu'à ce qu'une voix familière ricane dans son dos.

— Qui cherches-tu, Matie ?

Mathilde fit volte-face, les poings serrés.

L'expression nonchalante, Mot grignotait une tablette de chocolat. Redevenu lui-même, il avait perdu son regard ténébreux. La jeune fille l'empoigna et le secoua.

— Pourquoi m'as-tu fait ça ?

— Quoi donc ?

— Me jeter en bas de l'immeuble, voyons !

— Ben… c'était drôle, non ?

La gorge de Mathilde se serra.

— Tu te fous de ma gueule depuis le début, hein ? Partout où tu m'as menée, tout ce que tu m'as raconté… Tu as même essayé de me convaincre que j'étais importante !

— Ah ! Ça, c'est vrai, par contre.

La jeune fille faillit s'étrangler de rage.

— Pourquoi infligerais-tu du mal à quelqu'un que tu trouves important ?

— Correction ! Je n'ai jamais dit que *je* te trouvais importante ! Tu ne peux pas être importante si toi-même tu ne te trouves pas importante !

Mathilde sourcilla, confuse devant ce charabia.

— Répète ça ?

— Tu as l'importance que tu te donnes, Matie. En fait, c'est vrai dans la plupart des cas, mais dans le tien, tu es un peu plus importante que ça…

La jeune fille hurla de frustration.

— Vas-tu enfin me dire pourquoi ?

— Même si je te l'expliquais, tu ne comprendrais pas. Tu finiras bien par le découvrir !

— Et ces deux gars qui me pourchassaient ?

— Si tu fais attention à toi, je pense qu'ils ne t'embêteront plus ...

L'interphone invita les voyageurs munis de billets pour la métropole à se rendre au quai numéro trois.

— C'est mon bus. Je dois te quitter, Matie.

Mathilde le relâcha avec colère. Comme il se dirigeait vers la porte de l'autocar, Mathilde le rattrapa par le coude.

— Mot, avant que tu partes, il faut absolument que tu me dises qui tu es. Ton nom ou enfin... quelque chose !

Le ton de la jeune fille s'était radouci. Mot sourit. Il paraissait satisfait de cette requête. Il fouilla son sac et en sortit un papier replié.

— Puisqu'il faut *vraiment* que tu saches... Tiens, je t'avais écrit ça cette nuit, pendant que tu dormais. Je voulais te l'envoyer, mais comme tu es ici, tu peux le lire maintenant.

Elle prit le message, décontenancée. Avant de se hisser dans le bus, le garçon lui plaqua un baiser sur la joue, les lèvres toujours aussi glacées. Mathilde porta la main à son visage.

— Salut, Matie ! C'était super génial !

Le garçon s'engouffra dans le véhicule. Mathilde déplia doucement la missive, comme s'il s'agissait d'un colis piégé. Elle trouva plutôt un poème.

Je suis un mot que tous redoutent
Qui abasourdit, qui déroute
Je suis un mot inévitable
Inéluctable, incontournable
Je suis un mot terrifiant
Affolant ou pétrifiant
Je suis ce que personne ne veut rencontrer
Mais ce que tous devront affronter
As-tu deviné qui je suis,
Ma chère Matie ?

Mot XXX

Mathilde relut ces lignes plusieurs fois, sans comprendre l'énigme posée. Ou peut-être préférait-elle ne pas la déchiffrer. Peut-être que ce qu'elle impliquait accordait trop d'importance à Mot. Ou lui donnait trop raison.

Un vent moqueur s'infiltra alors dans la gare et pouffa sur ses quais. Les voyageurs émirent d'une même voix un cri de stupeur, perdant chapeaux et sacs dans cette bourrasque soudaine. Les cheveux bouclés de Mathilde lui fouettèrent les pommettes tandis qu'elle crispait les doigts sur la note de Mot. La vieille Tsigane bondit de son kiosque, paniquée, lorsque ses cartes de Tarot s'envolèrent comme des papillons indisciplinés.

Repoussant quelques mèches rebelles, la jeune fille leva le regard vers l'arrière de l'autobus qui démarrait. Un visage grimaçant y était écrasé, embrouillé par la vitre embuée. Cette frimousse déformée se décolla de la surface salie et l'essuya de la manche de son survêtement blanc. Apparut alors le sourire espiègle de Mot qui lui adressa un clin d'œil.

Le moteur vrombit et le car quitta doucement la gare. Mathilde salua d'un geste hésitant son étrange compagnon de route. La silhouette de Mot, qui se découpait dans la lunette, disparut au tournant de la rue.

Mathilde soupira et baissa les yeux, confuse. Le fil de ses pensées ressemblait à un ballot de laine avec lequel un chat aurait joué avec frénésie.

Éberluée, elle s'affala sur un banc, afin de passer en revue la dernière journée. Elle avait connu les affres du temps, la joie, la douleur, le désespoir et aussi... l'espoir. Sans oublier qu'elle avait affronté la mort ; elle l'avait même vue de très près !

Elle avait sombré pour mieux émerger. Hier encore, elle se terrait dans son petit monde sinistre, effrayée et convaincue de son inutilité. Aujourd'hui, elle avait un nouveau but.

Car tous ces méandres, ces digressions et ces étranges rencontres faites en compagnie de Mot l'avaient quand même menée à une dernière grande énigme : pourquoi était-elle importante ?

Cette réponse, elle tenait à la trouver.

Elle bondit de son siège, le sourire aux lèvres. Pour l'instant, elle avait une sortie à préparer. Ce soir, elle irait à la fête que Roxane donnait pour l'équipe d'improvisation. Cette semaine, elle entamerait ce nouveau boulot à l'Hôtel Camélia. Puis il y avait ce garçon, Loïc, qui souhaitait la revoir. Ensuite, elle verrait…

Chose certaine, la prochaine fois qu'elle rencontrerait Mot, elle serait en mesure de lui dire pourquoi elle était importante. De cela, elle demeurait persuadée.

Came the last night of sadness
And it was clear she couldn't go on
Then the door was open and the wind appeared
The candles blew and then disappeared
The curtains flew and then he appeared
Saying, "Don't be afraid"

Come on baby
And she had no fear
And she ran to him
Then they started to fly
They looked backward and said goodbye
She had become like they are
She had taken his hand
She had become like they are

Come on baby
Don't fear the reaper

Blue Oyster Cult, *(Don't Fear) The Reaper*

M
MARQUIS
Québec, Canada

FSC
www.fsc.org
MIXTE
Papier issu de
sources responsables
FSC® C103567